현대신서
54

타르튀프 · 서민귀족

몰리에르

극예술비교연구회 옮김

東 文 選

타르튀프 · 서민귀족

LE TARTUFFE OU L'IMOPOSTEUR

LE BOURGEOIS GENTILHOMME

par

Jean-Baptiste Poquelin de Molière

발 문

"길에서 웃고, 집에 와서 운다"라는 말이 있다. 사람들에게 섞여, 사람들을 바라보며, 우리가 웃음으로 얼버무리는 모든 넌센스와 모순과 비합리는, 자기 울타리 안으로 들어오면 자기도 어쩔 수 없는 저 자신의 속성·욕망·운명에 내재한 넌센스가 된다는 말일 것이다. 또 "인생은 느끼는 자에게는 비극이요, 생각하는 자에게는 희극"이라는 말도 있다. 의식의 반사경에 투영함으로써, 나를 지배하는 고통과의 거리를 만들어 웃음으로 다스린다는 뜻이겠다. 그러므로 본질상 치유적이고 해방적인 희극은, 괴로움이 발생하는 그 자리에서 고해(苦海)인 인간 조건을 그대로 끌어안은 채 웃음의 세계로 도약해 버린다. 그래서 가장 높은 경지에 도달한 희극 작품들은 비극과 희극, 눈물과 웃음의 아슬아슬한 경계를 통과하고, 작품을 대하는 관객·독자는 창조의 경로를 거슬러 역으로 "보는 자에게는 희극이요, 생각하는 자에게는 비극"인 세계를 경험한다. 몰리에르의 극이 그렇다. 지나친 순수에의 집착(《타르튀프》), 또는 아름다운 삶을 향한 미친 정열(《서민귀족》) 때문에 멍청해진 만큼 예민해지고, 그런 만큼 또 방어적이 되어 세상에 대한 통제권을 마구 사용하려 드는 몰리에르의 주인공들을 보고 어찌 웃지 않을 수 있으랴. 그러나 한편, 그들의 미친 꿈들에서 우리가 세상과 타협하며 우리의 마음속 깊은 곳으로 숨겨둔 욕망을 어찌 확인하지 않을 수 있으랴. 《타르튀프》와 《서민귀족》은 그 꿈의 해결, 또는 적절한 좌절(그것은 사회를 위협하는 꿈이기에)의 대표적 두 양상을 보여 준다. 하나는 깨달음의 대가로 파멸이 요구되는, 거의 비극이 될 지경에 개입하는 데우스 엑스 마키나(deus ex machina)로, 다른 하나는 고집스럽고 광포한 꿈을 무해하고 나아가 즐거운 환상으로, 놀이로, 축제로(《서민귀족》) 무마함으로써.

이 두 양상은 인생에 대해 몰리에르가 가졌던 시각의 폭 또한 암시하는 것이기에, 〈극예술비교연구회〉가 몰리에르 작품선(作品選)을 기획하면서 이 두 편을 고른 것은 매우 적절했다고 생각한다. 1998년 1월에 덕성여대 신현숙 교수의 발의에 따라, 연극을 사랑하며 주로 프랑스 문학을 진공한 사림들에 의해 발족된 〈극예술비교연구회〉는 1년씩 번갈아 연극 공연과, 희곡 번역 출간을 계획하고 있는 것으로 알고 있다. 98년 5월에 첫 공연으로 무대에 올린 엘렌 식수의 《오이디프스의 이름으로》(장윤경 연출)를 보고 어려운 여건 속에, 어려운 작품을 성공적으로 무대에 올린 그 정열에 박수를 아끼지 않았는데, 이제 계획대로 첫 번역서의 출간까지 앞두고 있으니 그 성실함에 또한 박수를 보낸다. 이 책이 연극학도 · 프랑스 문학도는 물론이요, 일반 독자들과 연극을 사랑하는 사람들에게 도움이 될 수 있기를 바란다.

심 민 화 (덕성여대 교수)

타르튀프

백선희 옮김

서 문

이 작품은 말도 많았고 오랫동안 박해받았던 희극이다. 이 희극이 다루는 사람들은 내가 지금껏 다루었던 그 모든 사람들보다 프랑스에서 힘 있는 자들임을 명백히 보여 주었다. 후작들·귀부인들·오쟁이진 남편들·의사들은 자신들이 극화된 사실을 그럭저럭 받아들였고, 자신들의 희화적인 모습을 보고 다른 사람들처럼 재미있어하는 척했다. 하지만 그 위선자들은 조금도 농담을 받아넘기지 못했다. 처음에 그들은 질겁했고, 내가 무례하게도 그들의 갖가지 표정을 농락하고 수많은 선량한 사람들이 개입된 직업을 비방하려 든 것을 끔찍하게 생각했다. 그것은 그들로서는 결코 용서 못할 범죄였다. 그래서 그들은 모두 격분하여 내 희극에 맞서 무장했다. 그리고 그들을 아프게 한 부분으로 공격하지 않으려고 주의했다. 그러기에는 그들은 너무도 정치적이었고, 자신들 영혼의 밑바닥을 알아차리기에는 너무도 처세에 밝았던 것이다. 그들은 그 훌륭한 관습에 따라 하나님을 내세워 자신들의 이해타산을 치장했다. 그들은 《타르튀프》가 신앙을 모독하는 연극이라고 말한다. 이 연극은 처음부터 끝까지 불경한 말로 그득하며, 지옥불을 받아 마땅하지 않은 것이 하나도 없다고 한다. 한마디 한 마디가 불경하며, 제스처 또한 죄악이라고 한다. 눈짓 한 번, 머리짓 한 번에도, 또 오른쪽 혹은 왼쪽으로 한 발짝 옮기는 것에도 비밀이 감추어져 있다고 보고 그들은 그걸 내게 불리한 쪽으로 설명하기 위한 방편으로 삼는 것이다. 이 연극을 친구들의 해석에 맡겨 보기도 하고, 모든 사람들의 검열에 맡겨 보기도 했지만 소용 없었다. 내가 이 연극에 가할 수 있었던 수정들, 이 연극을 본 국왕과 왕후의 판단, 대중 앞에서 이 연극을 칭찬한 지체 높은 대공들과 대신들의 찬양, 이 연극을 유익하다고 판단한 선량한 사람들의 증언, 이 모든 것도 아무런 소용이 없었다. 그들은 조금도 단념하려 들지 않았다. 그래서 매일같이 그들은 떠벌이기 좋아하는 열성분자들을 시켜 공개적으로 떠들어대게 하였다. 그들은 맹목적으로 욕설을 퍼붓고, 자선하듯 나를 지탄하는 것이다.

내가 존경하는 사람들을 나의 적으로 만들려고 하는 그들의 책략, 하나님을 향한 열정으로 인해 사람들이 보여 주는 대로 쉽게 받아들이는 정말로 선량한 사람들을 자기들 편으로 끌어들이려고 그들의 선의에 선입견을 주입하는 그들의 책략만 아니었다면, 난 그들이 무슨 말을 하건 전혀 신경을 쓰지 않았을 것이다. 그 책략들이 나로 하여금 스스로 방어하게끔 만들었다. 내 희극의 구성에 대해 내가 해명하고자 하는 대상은 진짜 신자들이다. 나는 그들이 보기도 전에 비난하지 말기를, 모든 선입견에서 벗어나기를, 그리고 그 찌푸린 표정 때문에 체면이 말이 아닌 자들의 격정에 이용당하지 않기를 진심으로 간청한다.

내 희극을 선의를 가지고 검토해 본다면, 내 의도들이 순수하며 숭배해야 마땅한 것을 우롱하려는 것이 조금도 아님을 분명히 알게 될 것이다. 미묘한 문제이기에 최대한 조심을 해서 다루었으며, 위선자와 진짜 신자를 구분짓기 위해 내가 할 수 있는 모든 기술과 정성을 기울였음 또한 알게 될 것이다. 그러기 위해 나는 그 간악한 인물의 등장을 준비하는 데만 두 막을 통째로 활용했다. 그자는 단 한순간도 관객을 애매한 상태에 두지 않는다. 처음에 관객은 내가 그자에게 부여한 특징을 통해 그를 알아본다. 그리고 처음부터 끝까지 그는 악인의 성격을 관객들에게 드러내 주고, 그에 맞서는 진정한 선인의 성격이 드러나게 하지 않을 말 한 마디나 행동 하나도 하지 않는다.

그러면 그 높으신 분들은 이렇게 넌지시 답하려 들 것이다. 이러한 사안은 연극에서 다룰 문제가 아니라고. 그렇지만 나는 그 훌륭한 기준은 어디에 근거를 둔 것인지 그분들에게 묻고 싶다. 그것은 그들이 그저 추측할 뿐이고, 어떤 방법으로도 증명하지 못하는 하나의 제안에 불과하다. 고대인들에게 있어 희극이 그 기원을 종교에 두고 있었으며, 신비스런 종교 의식의 일부였음을 그들에게 보여 주는 건 어렵지 않을 것이다. 우리의 이웃 스페인인들의 축제에는 언제나 희극이 포함되어 있으며, 우리네에서도 희극은 오늘날까지도 오텔 드 부르고뉴가 소속되어 있는 극회의 활동에서 비롯된 것이며, 그곳은 우리의 중요한 성사극들을 올리기 위해 제공되었던 장소이다. 거기서는 소르본 박사라는 이름 아래 고딕체로 새겨진 희극들을 아직도 볼 수 있으며, 멀리 갈 것도 없이 코르네이유의 성스런 작품들이 공연되었으며, 온 프랑스가 그 공연들을 찬양했다.

만약 희극의 역할이 인간들의 악덕을 교화하는 데 있다면, 어떤 이유로 그에 대해 특권을 누리는 자들이 있어야 하는지 모르겠다. 이러한 사실은 다른 무엇보다도 국가에 한층 위험한 결과를 초래하는 것이다. 우리는 연극이 교화를 위한 큰 장점을 지니고 있음을 보았다. 진지한 도덕적 표현들은 대개 풍자적 표현들보다 그 효과가 덜하다. 대부분의 사람들을 꾸짖는 데는 그들의 잘못들을 묘사하는 것보다 나은 방법이 없다. 그 잘못들을 모든 사람들의 웃음거리가 되도록 공개한다는 것은 악덕에 대한 엄청

난 공격이다. 사람들은 질책은 쉽게 묵인한다. 하지만 조소는 좀체 묵인하지 않는다. 고약한 사람이 되는 건 원할 수 있어도, 우스꽝스러워지는 건 조금도 원하지 않는 법이다.

주인공 사기꾼의 입에서 신앙의 말들이 나오게끔 한 것에 대해 사람들은 날 비난한다. 하지만 위선자의 특징을 잘 표현하기 위해 그러지 않고 달리 어쩌겠는가? 내가 보기엔 그자로 하여금 그런 말들을 하게끔 만드는 나쁜 동기들을 드러내고, 그자가 나쁘게 사용하는 걸 듣게 된다면 참기 힘들 것 같은 신성한 용어들만 배제하면 문제가 없다고 본다. 그런데 그는 제4막에서 유해한 훈계를 늘어놓는다. 하지만 그 훈계는 우리 모두가 이미 귀에 못이 박히도록 들었던 것이 아닌가? 그것이 내 희극에서는 어떤 새로운 것을 말하는가? 어떻게 그처럼 모두가 끔찍이도 싫어하는 것들이 사람들의 머리에 어떤 인상을 남길까 봐 두려워할 수 있단 말인가? 내가 그것들을 무대에 올림으로써 그것들이 위험한 것이 될까 봐 두려워한단 말인가? 그것들이 한 극악한 자의 입을 통해 어떤 위엄을 얻기라도 할까 봐서? 그같은 기미는 어디에도 없어 보인다. 희극 《타르튀프》를 인정하든가, 아니면 모든 희극을 통틀어 처단해야 할 것이다.

얼마 전부터 사람들이 맹렬히 집착하는 것도 바로 그 점이다. 지금껏 한번도 사람들이 연극에 대해 이처럼 격분했던 적이 없다. 교회 주교들 가운데 희극을 금지시킨 분들이 있었음을 난 부인할 수 없다. 그렇지만 연극을 좀더 유연하게 다루었던 분들도 몇몇 있었음 또한 부인할 수 없다. 이렇듯 이같은 분열로 인해 검열이 가지는 권위가 훼손되었다. 동일한 신앙을 가진 견식 있는 지성들이 보이는 견해의 다양성에서 끌어낼 수 있는 결론은 그들이 희극을 서로 다르게 이해했다는 것이다. 한편에서는 희극을 그 순수성 안에서 고찰했으나, 다른 한편에서는 희극을 그 타락성 안에서 고려함으로써 추잡한 공연이라 부를 만한 그 모든 상스런 공연들과 혼동한 것이다.

사실 말에 대해서가 아니라 사태들에 대해 논해야 하기 때문에, 또 대부분의 대립들이 서로의 말에 귀를 기울이지 않고 상반되는 것들을 같은 말로 포장하기 때문에 애매한 표현의 베일을 벗겨야 하고, 희극이 비난받아야 할지를 알기 위해 희극 그 자체가 무엇인지를 직시하여야만 하는 것이다. 그러면 아마도 희극이 유쾌한 교훈을 통해 사람들의 단점을 꾸짖는 독창적인 시에 다름 아님을 알게 될 것이고, 그것을 부당하게 금지할 수 없다는 걸 알게 될 것이다. 그 점에 대해 고대의 증언에 귀를 기울여 본다면, 너무도 엄격한 지혜를 주장하고 그 시대의 악습들에 대해 부단히 규탄하던 그 시대의 가장 이름난 철학자들이 희극을 찬양했다는 사실을 듣게 될 것이다. 아리스토텔레스가 밤을 새워가며 연극을 연구했으며, 희극을 만드는 법을 법칙으로 정리하는 일에 전념했던 사실을 알게 될 것이다. 그 시대의 가장 위대한 인물들과 최고위층 고관들이 직접 희극들을 만들었으며, 대중 앞에서 자신들이 만든 희극들을 낭송하기를 개의치 않았던 이들도 있었다는 사실과, 그리스가 영예로운 상을 제정해 이 예술을 높이 평가했으며, 그리고 로마에서는 이 예술이 극도의 존중을 받았음도 알게 될 것이다. 방탕한 로마에서 황제의 허락하에 그랬던 것이 아니라, 규율잡힌 로마에서 집정관들의 지혜로운 판단하에, 그것도 로마의 위력이 가장 왕성하던 때에 그랬던 것이다.

고백하건대, 희극이 타락했던 시절도 있었다. 하지만 이 세상에 우리가 매일같이 타락시키지 않는 게 무엇이란 말인가? 인간들이 죄를 범할 수 없을 만큼 순수한 그 무엇도 없고, 인간들이 그 의도를 뒤집을 수 없을 만큼 이로운 학문도 없다. 그 자체로 너무도 선해 인간들이 나쁘게 이용할 수가 없는 그런 이로운 학문은 없는 것이다. 의학은 유익한 학문으로, 모두가 그것을 우리가 가진 것 가운데 가장 훌륭한 학문으로 여긴다. 그럼에도 불구하고 의학이 추악해졌던 때가 있었고, 종종 인간들을 독살하는 기술이 되기도 했다. 철학은 하늘의 선물이다. 그것은 우리의 정신이 자연의 경이를 관조함으로써 신을 인지할 수 있도록 우리에게 주어진 것이다. 그럼에도 우리는 그 학문을 종종 왜곡해서 사용했으며, 드러내 놓고 무신앙을 옹호하는 데 이용했다는 사실을 안다. 가장 신성한 것조차도 인간의 타락으로부터 안전하지 못하다. 우리는 신앙을 악용하여 가장 흉악한 죄악을 저지르는 데 악의적으로 이용하는 사악한 자들을 매일같이 본다. 그런데도 그런 면에 대해 해야 할 필요가 있는 구분을 하도록 내버려두지 않는다. 사람들이 타락시키는 학문의 선한 면을, 타락시키는 자들의 악의와 더불어 잘못된 결과에 포함시켜서는 안 된다. 학문의 의도와 그것의 잘못된 사용을 항상 구별해야 한다. 로마에서 공개적으로 추방되었기에 의학을 금할 수 없고, 아테네에서 공개적으로 규탄받았기에 철학을 금지할 수 없는 것처럼, 어느 시기에 규제받았다는 사실로 인해 희극을 금지하려고 들어서도 안 되는 것이다. 그 규제에는 그만한 이유가 있었지만 그것이 지금까지 존속되는 것은 아니다. 그 규제는 그것이 볼 수 있는 한도 내에 갇힌 것이기에 스스로 부여한 한계로부터 지금 그것을 끌어내려 하거나 필요 이상으로 멀리까지 확장시켜서는 안 되며, 비난받아 마땅한 것과 무고한 것을 그 규제 안에 포괄시켜서는 안 되는 것이다. 그 규제가 공격 대상으로 삼았던 희극은 오늘날 우리가 옹호하려는 희극이 전혀 아니다. 그 둘을 혼동하지 않도록 주의해야만 한다. 그 둘은 품행이 정반대인 두 사람과 같다. 이름의 유사성 외에는 서로 아무런 관계도 없는 것이다. 방탕했던 올렘프가 있었다는 이유로 선량한 여자 올렘프를 지탄하려 든다는 건 끔찍한 불의일 것이다. 그와 유사한 압류들은 이 세상에 큰 혼란을 야기시킬 것이다. 그런 식이라면 규제받지 않을 것이 하나도 없을 것이다. 그리고 우리가 매일같이 이용하는 많은 분야에 있어 이와 같은 엄격성을 지키지 못하고 있으므로 희극에도 그와 같은 은총을 베풀어야 하고, 교화와 예의범절이 돋보이는 연극 작품들을 인정해야만 한다.

까다로운 정신의 소유자로서 그 어떤 희극도 묵인하지 못하는 사람들이 있음을 나는 안다. 그들은 가장 정숙한 작품들이야말로 가장 위험한 작품들이라고 말한다. 희극에서 묘사되는 정열이 덕성으로 넘쳐날 때 그만큼 더 감동적이고, 그런 종류의 극작품이야말로 사람들의 영혼을 감동시킨다는 것이다. 그런데 정숙한 정열을 보고 감동하는 것이 무슨 큰 죄악이란 말인가. 그들은 우리 영혼을 무감각한 상태로 끌어올리려는데, 나로서는 그것이 어떤 높은 수준의 덕인지 알지 못한다. 그같은 완벽함이 인간 본성의 능력 안에 있다고는 난 생각지 않는다. 그리고 인간들의 정열을 교화시키고 누그러뜨리는 데 힘쓰는 게 잘하는 것인지도 모르겠다. 극장보다 드나들면 훨씬 좋을 장소들이 있다는 사실을 나는 인정한다. 하나님과 우리의 구원에 직접적으로 관련되지 않는 모든 것들을 비난하려 든다면, 희극도 마땅히 비난받아야 하는 게 분명하다. 나 또한 희극이 나머지 것들과 함께 규탄받는 것에는 조금도 나쁘게 생각지 않는다. 하지만 사실이 그렇듯이 신앙의 실천에도 일정한 뜸이 있는 법이고, 인간은 오락을 필요로 한다는 사실을 가정한다면, 희극보다 더 순수한 오락을 찾을 수는 없을 거라고 나는 주장한다. 내 말이 너무 길었던 것 같다. 희극 《타르튀프》에 대해 한 지체 높은 대공이 한 말을 끝으로 인용하기로 하자.

《타르튀프》가 금지된 지 8일 후, 《은둔자 스카라무슈》라는 제목의 희극을 왕궁에서 공연한 적이 있다. 국왕께서 나오면서 내가 인용하려는 그 대공에게 말한다. "사람들이 몰리에르의 희극에는 그처럼 분개하면서, 어째서 스카라무슈의 것에는 아무 말도 하지 않는지 정말 궁금하오." 이에 대공이 이렇게 대답한다. "그 이유야 희극 《스카라무슈》는 하나님과 종교에 대해 다루는데 저 양반들은 거기에 대해서는 신경을 쓰지 않지요. 하지만 몰리에르의 희극은 바로 저 양반들을 다루지요. 그러니 봐줄 수가 없는 것입니다."

이 글은 몰리에르가 직접 쓴 것이다. 1664년 5월에 초연했다가 금지당한 《타르튀프》는 5년 뒤인 1669년 2월 5일부터 자유로이 공연된다. 1669년 3월 15일에서야 국왕의 출판 허가가 났고, 희곡은 3월 23일에 출간된다. 그럼에도 아직 신자들의 반발은 완전히 가시지 않았다. 이 글이 호전적인 까닭이 거기에 있다.

타르튀프

등장인물

페르넬르 부인: 오르공의 어머니.

오르공: 엘미르의 남편.

엘미르: 오르공의 아내.

다미스: 오르공의 아들.

마리안느: 오르공의 딸이자 발레르의 애인.

발레르: 마리안느의 애인.

클레앙트: 오르공의 처남.

타르튀프: 가짜 신자.

도린느: 마리안느의 하녀.

루아얄: 집달리.

집행관.

플리포트: 페르넬르 부인의 하녀.

무대는 파리.

제 1 막

제 1 장

페르넬르 부인, 하녀 플리포트, 엘미르, 마리안느,
도린느, 다미스, 클레앙트

페르넬르 부인 자 플리포트, 어서 가자꾸나. 저 작자들에게서 벗어나야겠어.

엘 미 르 길음이 어찌나 빠르신지 노무지 따라갈 수가 없어요.

페르넬르 부인 됐다, 얘야. 더 오지 않아도 괜찮아. 그런 겉치레일랑 다 필요 없다.

엘 미 르 제가 할 도리는 해야지요. 그런데 어머님, 왜 이렇게 빨리 가세요?

페르넬르 부인 이 집안 꼬락서니를 보고 있을 수가 있어야지. 게다가 내 기분이야 어떻든 아무도 신경을 쓰지 않잖니. 그래, 도무지 꼴이 잘못된 너희 집에서 나가는 거다. 내가 말하는 건 죄다 거역하지. 조심하는 법이 없는데다, 저마다 큰 소리로 지껄여대잖니. 도무지 혼란스럽고 정신이 없구나.

도 린 느 그렇다면…….

페르넬르 부인 넌 하녀 주제에 너무 말이 많고 버릇이 없어. 온갖 일에 참견하려 드니 말야.

다 미 스 그런데…….

페르넬르 부인 넌 한 마디로 말해 멍청해. 할머니로서 하는 말이야. 네가 못된 불량배가 되어 애비 속을 썩일 거라 고 내 아들에게, 그러니까 네 아버지에게 골백번도 더 말했었다.

마리안느 제 생각엔…….

페르넬르 부인 어이구, 누이인 너도 얌전한 체하지만 그렇지 못해. 그렇게도 순해 보이는데 말이다. 하지만 고여 있는 물만큼 나쁜 물도 없다고 하지 않니. 넌 뒤에서 조종을 하지, 바로 그게 난 싫어.

엘 미 르 하지만 어머님…….

✓ **페르넬르 부인** 얘야, 이렇게 말하면 안됐지만, 네 행동거지는 하나같이 틀려먹었어. 네가 쟤들에게 본보기가 되어야 할 것 아니니. 죽은 애미가 훨씬 나았어. 넌 씀씀이가 헤픈데다 공주처럼 차려입는 게 거슬려. 남편 마음에 들려고 하는 거라면 그렇게까지 치장할 게 없잖니?

클레앙트 그렇지만 부인, 그래도…….

페르넬르 부인 저 아이 오라버님이신 당신이야 내가 높이 평가하고, 좋아하고, 존경하지요. 그렇지만 만약 내 아들 같았으면, 다시 말해 쟤 남편 같았더라면 당신이 우리 집에 절대로 출입하지 않도록 간절히 부탁했을 거예요. 당신은 언제나 훈계를 늘어놓지만 성실한 사람들이 따를 만한 게 전혀 못 되거든요. 너무 솔직히 말씀드린 것 같은데, 이게 내 성미랍니다. 마음에 있는 이야기는 털어놓지 않곤 못 배기니까요.

다 미 스 할머님이 좋아하시는 그 타르튀프 선생은 분명 좋은 분이시겠지요…….

페르넬르 부인 그분이야 훌륭하시지. 그분의 말이라면 따라야 해. 너 같은 망나니가 그분에게 시비를 거는 걸 보면 화가 치밀어 견딜 수가 없어.

다 미 스 뭐라구요! 저야말로 그 트집쟁이 사기꾼이 이 집에 와서 멋대로 권력을 휘두르는 걸 보면 견딜 수가 없다구요. 그 훌륭한 선생께서 허락하지 않으시면, 우리는 기분을 풀고 즐길 수도 없단 말입니까?

도 린 느 그 사람 교훈을 듣고 따르자면 우리가 죄를 범하지 않고 할 수 있는 일이란 하나도 없어요. 그 광적인 트집쟁이는 간섭하지 않는 게 없으니까요.

페르넬르 부인 그분이 간섭하는 건 모두 제대로 된 거야. 그분은 너희들을 천국의 길로 인도하려는 게야. 그래서 너희 모두가 그분을 좋아하도록 만드는 게 내 아들이 할 일이지.

다 미 스 아닙니다, 할머니. 아버지든 그 누구든 절더러 억지로 그자를 좋아하게 할 수는 없을 겁니다. 제가 딴 말을 한다면 그건 제 마음을 배반하는 겁니다. 그자가 하는 수작마다 전 화가 치밀어요. 곧 한바탕 일이 벌어질 텐데, 상대가 비열한 자인 만큼 저도 단호하게 대처할 겁니다.

도 린 느 그럼요. 생판 모르는 작자가 이 집에서 주인 행세를 하다니 파렴치한 일이고말고요. 처음 굴러 들어왔을 때는 구두도 없이 싸구려 누더기를 걸치고 있던 주제에, 제 분수도 잊어버리고 모든 걸 제 마음대로 하고 주인 행세를 하려 든다구요.

페르넬르 부인 아이고! 잘한다! 만사가 그분의 경건한 분부대로

만 이루어진다면 모든 일이 잘될 거야.

도 린 느 마님께서는 그자를 성인으로 착각하고 계시지만, 그자가 하는 건 죄다 위선일 뿐이예요.

페르넬르 부인 저 혀 놀리는 것하고는!

도 린 느 그자도 그렇고, 그자의 하인 로랑도 전 확실한 보증인이 있기 전까지는 믿지 않을 거예요.

페르넬르 부인 그 하인 속마음이야 모르겠지만, 그 주인이 훌륭한 사람이라는 건 내가 보증하마. 그분이 너희들한테 진실을 말하기 때문에 너희들이 그분을 헐뜯고 싫어하는 거야. 그분이 화를 내는 것은 죄에 대해서이고, 오직 하늘의 뜻에 따르는 분이야.

도 린 느 그렇겠죠. 그런데 특히 얼마 전부터는 왜 다른 사람들이 이 집에 드나드는 걸 싫어할까요? 정직한 손님이 찾아온다고 해서 하나님의 기분이 상할 리도 없는데, 왜 그렇게 요란을 떠는 걸까요? 우리끼리니까 그 까닭을 말씀드려 볼까요? 제 생각엔 아마도 주인마님 때문에 질투를 하는 것 같아요.

페르넬르 부인 닥쳐, 네가 무슨 말을 하고 있는지 생각이나 하는 거야? 방문객들을 비난하는 건 그분만이 아니야. 너희들이 사귀는 사람들이 벌이는 야단법석이며, 대문 앞에 노상 죽치는 마차들에다 하인들이 모여 얼마나 떠들어대는지 이웃들이 좋아할 리 없지. 실제로는 별일 아니라고 생각하고 싶지만, 사람들이 말을 해대니 좋은 일은 아니야.

클레앙트 그렇다고 말하는 걸 막을 수는 없지 않겠습니까? 어리석은 소문에 개입될까 봐서 절친한 친구들을 끊어야 한다는 건 곤란한 일이지요. 그리고 그렇게 결심을 한다손 치더라도 세상 사람 모두의 입을 틀어막을 순 없는 일 아닙니까? 악담을 막을 방도는 없습니다. 쑥덕공론이야 신경을 쓰지 않으면 그뿐이지요. 결백하게 살려고 노력하고, 말하기 좋아하는 사람들이야 제멋대로 지껄이도록 내버려둘 수밖에요.

도 린 느 우리 흉을 보는 게 이웃집 다프네와 그 작달막한 남편 아니에요? 제일 비웃음을 살 행동을 하는 자들이 언제나 남의 흉 보는 데는 앞장선다니까요. 애정이 눈곱만큼이라도 비칠라치면 행여 놓칠세라 신이 나서 소문을 퍼뜨리지요. 그자들은 남의 행동을 자기들 멋대로 색칠하면 자신들의 행동이 용납된다고 생각하나 봐요. 자신들의 권모술수를 순진무구한 것으로 가장하고, 그럼으로써 자신들에게 퍼부어지는 비난을 다른 데로 돌리려는 헛된 희망을 가지고 있는 거라구요.

페르넬르 부인 아무리 억설을 늘어놓아 보아야 소용 없다. 오랑트 부인이 모범적인 생활을 한다는 건 누구나 다 알잖니. 그이는 오직 하나님만을 섬기지. 그 부인이 이 집에 사람들이 줄지어 모여드는 걸 비난한다는 말을 들었어.

도 린 느 좋은 본보기예요. 그 부인은 또한 선량하시기도 하지요! 그분이 엄숙한 생활을 하는 건 사실이에요. 하지만 그렇듯 열렬한 신앙도 나이 탓일 뿐, 마지못해 정숙하다는 건 누구나가 알고 있어요. 사내들의 인기를 끌던 시절에는 실컷 재미를 보았지요. 그런

데 그 두 눈에서 총기가 사라져 가고, 사내들이 하나둘 떠나가는 걸 보자 이제는 단념을 하고 정숙한 척 요란하게 가장해서 매력을 잃어버린 자신의 약점을 가리려는 거예요. 한때 이름을 날리던 바람둥이 여자들의 귀로가 그래요. 한량들이 떨어져 나가는 걸 본다는 게 그들로서는 괴로운 일이지요. 그렇게 버림받고, 암울한 불안감에서 벗어나려니 정숙을 가장하는 수밖에요. 그런 현부인들은 그지없이 준엄하셔서 모든 것에 트집을 잡고, 무엇 하나 용서하지 않지요. 그리고 거만하게 개개인의 생활을 비난해대는데, 그건 자비심에서가 아니라 질투심 때문이지요. 만년의 나이가 재미를 앗아가니, 남이 즐기는 걸 그냥 보아넘기지 못하는 거라구요.

페르넬르 부인 그런 황당한 이야기를 지어내는 게 넌 재미있나 보구나. 얘 며늘아, 네 집에서는 그저 입을 다물 수밖에 없구나. 주인마나님께서 진종일 저렇듯 떠벌려대니 말이다. 하지만 이번에는 나도 한 마디 해야겠다. 내 아들이 그 신앙심 깊은 분을 집에 모신 것은 참으로 잘한 일이라는 걸 명심해라. 너희들의 잘못된 정신을 바로잡기 위해 하늘이 그분을 보내신 게야. 너희들이 구원을 받으려면 그분의 말씀을 들어야 해. 그래서 그분이 꾸짖을 일이 없게끔 말이다. 이 많은 손님들에 무도회며 잡담들은 모두가 악덕의 소치야. 그런 데선 경건한 말을 들을래야 들을 수가 없지. 그저 쓸데없는 잡담과 노래·쑥덕공론뿐이야. 대개 너나할것없이 모두가 누구 일이든간에 나쁘게 말해대지. 그러니 정신이 올바른 사람들도 그런 모임에 어울리다 보면 머리가 혼란스러워질 수밖에. 온갖 소문들이 제멋대로 만들어지니 말이야. 요전에 한 의사 선생님이 아주 잘 말하지 않더냐. 저마다 끝도 없이 지껄여대니 그야말로 바빌론의 탑이 아니느냐고. 의사 선생님이 그렇게까지 말하게 된 이야기를 하자면…… 봐라, 이 사람은 벌써부터 키득대고 있지 않냐구! 당신을 웃겨 줄 광대나 찾아가시지 그래. 잘 있거라, 얘야. 더 이상 한 마디도 하고 싶지 않다. 이 집에 정이 뚝 떨어졌다는 것만 알아들 두거라. 당분간 발 들여놓을 생각 없다. (플리포트의 따귀를 갈기며) 야, 넌 뭘 그렇게 멍청히 있는 거야. 기가 차서! 혼꾸멍을 내줄까 보다. 가자구, 어서 걸어.

제 2 장

클레앙트, 도린느

클레앙트 난 조금도 따라 나가고 싶지 않다. 또 싸우자고 덤빌까 봐 무서워. 저 할머니는…….

도 린 느 아, 그러믄요! 그 말을 마나님께서 듣지 못한 게 유감이로군요. 그랬다면 아마도 이렇게 말씀하셨을 거예요. 괜찮은 양반이긴 하지만 이 집안 이름을 줄 마음은 없다고 말예요.

클레앙트 아무것도 아닌 일로 우리에게 역정을 내시니! 그놈의 타르튀프에게 홀딱 빠져서는 말이야!

도 린 느　그렇지만 주인어른에 비하면 아무것도 아니에요. 그분을 보셨다면 '더 심하네' 라고 하셨을 거예요. 우리가 어려움에 처하였을 때도 그분은 현명하게 처신하셨고, 왕을 섬길 때도 용기를 보이셨는데, 타르튀프에게 빠진 이후로는 얼빠진 사람이 되고 말았어요. 그 작자를 형제라 부르고, 어머니나 아들 · 딸 · 부인보다도 백배 더 소중히 여기시거든요. 그자한테만 온갖 비밀을 털어놓으시고, 모든 행동을 그자가 지휘한답니다. 애지중지하고 껴안고, 애인한테도 그렇게는 못할 거예요. 식사 때도 가장 좋은 자리에 그자를 앉히고, 6인분을 먹어치우는 걸 흐뭇하게 바라보신답니다. 뭐든 제일 맛있는 부분은 그자에게 양보하도록 하시고, 그자가 트림이라도 하면 '신의 가호가 있으시길' 한답니다. 하여간 주인님은 그자에게 미쳤어요. 그자는 주인어른의 모든 것이요, 영웅이에요. 하는 것마다 칭찬이고, 말끝마다 그자 말뿐이며, 그자가 하는 일이라면 하찮은 것도 기적처럼 보이시나 봐요. 그자가 하는 말 한 마디 한 마디가 신의 계시처럼 들리고요. 그자는 주인님이 잘 속는다는 걸 알고서, 그걸 이용하려고 오만 가지 속임수로 주인어른의 눈을 멀게 하려는 거예요. 끊임없이 속임수를 써서 돈을 뜯어내고, 우리 모두를 헐뜯지요. 그 작자의 시중을 드는 하인까지도 우리에게 훈계를 하려 든다니까요. 사나운 눈으로 설교를 하려 들고, 우리의 리본이며 루즈 · 애교점을 떼어 내팽개친답니다. 요전에도 그 음흉한 자가 '성인(聖人)들의 꽃' 속에

꽂아둔 손수건을 발견하고는 제 손으로 찢어 버렸답니다. 악마의 장식물을 성스러운 것과 뒤섞는 끔찍한 죄를 저질렀다면서 말예요.

제 3 장

엘미르, 클레앙트, 다미스, 도린느

엘 미 르 따라 나오지 않으시길 잘했어요. 문에서도 한바탕 설교를 늘어놓으셨거든요. 그런데 그이가 오는 걸 보았어요! 나를 못 본 것 같으니 올라가서 기다리겠어요.

클레앙트 나는 여기서 기다리마. 그냥 인사만 하고 가련다.

다 미 스 제 동생 결혼에 대해서 한 마디 거들어 주세요. 타르튀프가 방해를 놓아 아버지를 엉뚱한 방향으로 몰고 가지 않을까 걱정입니다. 제가 이 일에 얼마나 신경을 쓰는지 잘 아시지 않습니까. 동생과 발레르가 열렬히 사랑하는 만큼, 저도 이 친구의 여동생을 사랑하고 있습니다. 행여…….

도 린 느 주인어른께서 들어오십니다.

제 4 장

오르공, 클레앙트, 도린느

오 르 공 아! 처남, 안녕하셨습니까.

클레앙트 이제 막 가려던 참이었는데, 자네를 보게 되니 반갑군 그래. 지금쯤은 아무리 시골이라도 꽃이 별로 피지 않았을 테지.

오르공 도린느…… 처남, 잠깐만 기다려 주세요. 죄송하지만 걱정이 돼서요. 여기 소식을 좀 알아야겠어요. 도린느, 이틀 사이에 별일 없었느냐? 다들 뭘하는가? 모두들 건강하느냐?

도린느 부인께서는 그저께 저녁까지 열이 있으셨습니다. 원인 모를 두통까지 겹치셨고요.

오르공 타르튀프 씨는?

도린느 타르튀프 씨요? 그분은 아주 건강하십니다. 기름지게 살도 찌고, 얼굴빛도 좋고, 입술도 빨갛지요.

오르공 저런 딱하기도 하지!

도린느 저녁에 부인께서는 속이 안 좋으셔서 저녁 식사를 통 못하셨습니다. 두통이 얼마나 심했는지 몰라요!

오르공 그래 타르튀프 씨는?

도린느 부인 앞에서 그분 혼자 드셨어요. 자고 두 마리에다, 다진 염소 넓적다리를 절반이나 아주 경건하게 먹어 치우셨답니다.

오르공 저런 딱하기도 하지!

도린느 부인께서는 밤새 한숨도 못 주무셨어요. 열이 심해 잠이 들지를 못하셔서, 새벽까지 곁에서 돌봐 드려야 했어요.

오르공 그래 타르튀프 씨는?

도린느 기분 좋은 졸음이 와 식탁을 떠나자마자 방으로 가서 곧장 따뜻한 침대에 들어가 다음날까지 푹 주무셨지요.

오르공　저런 딱하기도 하지!

도린느　저희가 설득을 해서 마침내 부인께서는 피를 뽑을 결심을 하셨고, 그러자 곧 회복되셨답니다.

오르공　그래 타르튀프 씨는?

도린느　훌륭하게도 용기를 내시고, 어떤 병이라도 이겨낼 수 있도록 마음을 단단히 잡수시고, 또한 부인께서 잃어버리신 피를 보충하겠다시며 식사 때는 포도주를 넉 잔이나 드셨답니다.

오르공　저런 딱하기도 하지!

도린느　결국 두 분 모두 잘 계십니다. 그러면 저는 부인 방으로 가서, 주인어른께서 부인의 병후를 걱정하시더라는 말씀을 전하겠습니다.

제 5 장

오르공, 클레앙트

클레앙트　매부! 저 아이는 드러내 놓고 자네를 비웃고 있네. 언짢게 할 생각은 없지만, 솔직히 말해 그럴만도 할 것 같네. 이런 뚱딴지 같은 일이 어디 있나? 사내가 어떤 매력이 있길래, 그자 때문에 이렇듯 만사를 잊어버린다는 게 도무지 있을 수 있는 일인가? 비참한 상태의 그자를 집에 받아들여 먹여 주고, 어쩌다 이 지경까지 오게 되었는가…?

오르공　그만하세요, 처남. 처남께서는 그분을 잘 모르십니다.

클레앙트　그렇다고 하니까 모르는 걸로 해두지. 하지만 그자가 어떤 자인지를 알기 위해서라도…….

오르공 알게 되면 홀딱 빠지실 겁니다. 한없이 매료되고 말 거예요. 그분은…… 뭐랄까…… 아! 제대로 된 인간이고 인물이지요. 그분의 가르침을 따르는 자는 깊은 평화를 맛보게 되고, 이 세상을 경멸하게 된답니다. 그래요, 그분과 얘기를 나누다 보면 난 딴사람이 되는 것 같아요. 그분은 아무것에도 애착을 갖지 말라고 가르치시고, 그 모든 우애 관계에서 내 영혼을 해방시킨답니다. 그러니까 형제·자식들·어머니와 아내까지 떠나게 됩니다. 전엔 가족에 대한 걱정이 얼마나 많았는데요.

클레앙트 그렇지만 그게 바로 인간 감정이라는 것 아닌가!

오르공 아! 내가 그분을 만났을 때를 처남께서 보셨더라면, 틀림없이 처남도 그분에게 호감을 가졌을 텐데요. 그분은 매일같이 교회에 와서 온화한 얼굴로 내 맞은편에 두 무릎을 꿇고 앉습니다. 하나님께 드리는 그분의 열렬한 기도 때문에 신도들의 눈은 일제히 그분에게 집중되지요. 그분은 신앙의 기쁨에 충만해 한숨을 내쉬고, 겸허하게 수시로 바닥에다 입을 맞춥니다. 그리고 내가 밖으로 나가면, 얼른 뛰어나와 문에서 성수를 뿌려 줍니다. 그분의 하인 또한 모든 면에서 그분을 본받았는데, 그 하인으로부터 그분의 궁핍한 생활과 인간 됨됨이를 전해 듣고서 약간의 선물을 하였지요. 그런데 그때마다 겸손하게 일부를 돌려보내신답니다. '너무 많습니다. 절반만 해도 많습니다. 저는 당신의 자비를 받을 만한 사람이 못됩니다'라고 하시면서요. 그걸 되돌려받길 거부하면, 내가 보는 앞에서 가난한 자들에게 나누어 주는 것입니다. 결국 하나님의 뜻으로 그분이 우리 집에 오시게 되었고, 그후 만사가 순조로운 것 같습니다. 그분은 모든 일을 보살피시고, 황송하게도 내 아내에게까지 지극한 관심을 보이신답니다. 아내에게 추파를 던지는 자가 있으면 내게 알려 주시고, 나보다도 몇 갑절 질투를 하시지요. 하지만 처남께서는 그분의 믿음이 얼마나 깊은지 알지 못할 것입니다. 그분은 하찮은 일도 자신의 죄로 여기시고, 조그만 일에도 분노하신답니다. 서번에는 기도중에 벼룩 한 마리를 잡아 홧김에 죽였노라고 자책하셨을 정도랍니다.

클레앙트 기가 막혀! 자네 정신이 어떻게 된 것 아닌가. 그런 황당한 소리로 나를 놀리는 건가? 대체 이 헛소리로 무슨 주장을 하는 것인가?

오르공 처남의 말에서 무신앙의 냄새가 나는군요. 영혼이 약간 좀먹은 것 같습니다. 제가 열 번도 더 말했지만, 그러다 뭔가 좋지 않은 일을 초래하게 될 것입니다.

클레앙트 그건 자네 패거리들이 늘상 하는 얘기야. 그자들은 모두가 저네들처럼 눈이 멀기를 바라지. 바른 눈을 가지고 있으면 신앙이 없는 것이고, 거짓된 태도를 찬양하지 않으면 신성한 것에 대한 믿음도 존경도 없다는 것인가? 자네의 설교는 하나도 무섭지 않네. 나는 내가 하는 말을 잘 알고 있고, 또 하늘이 내 마음을 들여다보고 있으니까. 우리는 당신네 체면치레의 노예가 아니라네. 거짓된 용기를 내보이는 자들이 있는 것처럼 거짓 신자도 있는 법이지. 명예를 위해 행동하는 참된 용자는 떠들지 않듯이, 우리가 본받아야 할 참된 신자는 그렇게 인상을 써대는 자들이 아니라네. 그래 매부는 위선과 신앙도 구별할 줄 모르는가? 어떻게 그 둘을 같은 말로 표현하고, 얼굴과 가면에 똑같이 경의를 표하며, 겉모양과 진실을 혼동하고, 유령을 사람과 똑같이 평가하며, 가짜 돈을 진짜 돈과 같이 취급하려 든단 말인가? 인간이란 대개 알 수 없는 법이야! 그 진짜 본성은 보이지 않는 거라구. 이성이 미치는 범위는 너무도 좁아서 누구나 그 한계를 넘어서 버린단 말이네. 가장 고상한 것도 지나치게 과장하고 내세우려다가 망쳐 버리고 말지. 기왕 내친 김에 하는 말일세, 매부.

오르공 그래요, 처남은 분명 사람들이 존경하는 학자이십니다. 처남께서는 세상의 온갖 지식을 터득하셨구요. 유일한 현자요, 유일하게 견식 있는 분이시지요. 우리 시대의 신탁이요, 카토시지요. 처남 곁에서는 모든 인간이 멍청할 따름이지요.

클레앙트 매부! 나는 존경받는 학자도, 온갖 지식을 터득한 것도 아니라네. 하지만 한 마디로 말해서 내게 가짜와 진짜를 구별할 만한 능력은 있지. 난 완벽한 신자보다 더 높이 평가받을 만한 영웅은 어디에도 없고, 진정한 신앙의 성스러운 열정보다 더 아름답고 거룩한 것은 이 세상에 없다고 본다네. 반면 겉에 억지 신앙을 처바른 사기꾼들, 눈길을 끌려는 신자들보다 가증스러운 것도 없지. 그들은 거짓 인상을 쓰고, 신을 모독하며, 인간이 가지고 있는 가장 신성하고 성스러운 것을 거리낌 없이 악용하고, 저들 마음대로 가지고 놀거든. 그자들은 이해타산을 밝히는 음험한 영혼으로 신앙을 장사와 상품으로 생각하고, 거짓된 눈짓과 꾸민 믿음으로 신용과 위엄을 사려고 들지. 그런 자들은 남다른 열성을 보이며, 하늘의 길을 이용해 저네들 재산을 만들고 있다네. 그들은 열광하며 기도를 바치고, 매일같이 뭔가를 구하고, 속세의 집착을 버리라고 설교하며, 자신들의 악덕에다 열렬한 신앙을 꿰맞추지. 그자들은 성질이 급하고, 복수심이 강하며, 성실하지 못하고, 약삭빨라 남을 궁지에 몰아넣기 위해서라면 뻔뻔스럽게도 하늘을 위하는 양 내세워 저네들의 뻔뻔스런 원한을 감춘다구. 끔찍이 화가 났을 때면 저들은 더욱 위험해지지. 사람들이 숭배하는 것을 무기삼아 우리를 향해 치켜들고, 우리가 익히 아는 그 열정으로 우리를 죽이려 들지. 이런 가짜 신자들은 너무도 많아. 하지만 진정한 신자들을 알아보기란 그다지 어렵지 않지. 이 시대에도 영광스런 모범이 될 만한 사람들은 눈에 띄게 마련이야. 아리스통을 보게나. 페리앙드르 · 오롱트 · 알시다마스 · 폴리도르 · 클리탕드르를 보게나. 그들이 참된 본보기라는 걸 부인할 자가 없지 않은가. 그들은 덕을 허풍스레 과장하지도 않고, 그 끔찍한 허영을 부리지도 않아. 그들의 신앙은 인간적이며 까다롭지 않지. 그리고 우리의 행동을 일일이 간섭하지도 않는다네. 그렇게 남을 뜯어고치려 드는 걸 지나친 교만이라 생각하는 거지. 잘난 체 떠들어대는 일일랑은 다른 사람들한테 맡겨두고, 그들은 행동으로 우리를 나무라지. 그들은 겉으로 보아 나쁜 것은 그다지 문제삼지 않고, 남들을 좋게 판단하려고 애쓴다네. 그들 사이에서 음모나 간책 따윈 찾아볼 수 없지. 그들은 온 정성을 다해 올바르게 살려고 애를 쓰는 게 보여. 죄지은 자를 물고늘어지는 법도 없다네. 다만 죄를 미워할 뿐이지. 신이 바라는 것 이상으로 하늘의 이득을 위해 지나치게 열성을 보이려 들지도 않는다네. 내가 아는 사람들은 이렇다네. 이런 사람들과 교제하게나. 바로 우리가 목표로 삼아야 할 본보기인 셈이지. 자네 사람은, 솔직히 말해 이런 모범이 못된다네. 자네는 그자의 열렬한 신앙을 칭찬하지만, 가짜 광채에 홀린 거라구.

오 르 공 친애하는 처남, 말씀 다하신 건가요?

클레앙트 그렇다네.

오 르 공 이만 실례하겠습니다. (나가려 한다.)

클레앙트 매부, 한 마디만 더하세. 그 얘기는 그만두기로 하고. 발레르가 매부의 사위가 되는 건 확실한 건가?

오 르 공 그렇습니다.

클레앙트 그 결혼을 위해 날도 잡았고?

오 르 공 맞습니다.

클레앙트 그런데 왜 연기하는 건가?

오 르 공 모르겠습니다.

클레앙트 무슨 다른 생각이라도 가지고 있는 것 아닌가?

오 르 공　그런지도 모르지요.

클레앙트　자네가 한 약속을 깨뜨리려는 건가?

오 르 공　그렇게 말하진 않았습니다.

클레앙트　자네의 약속을 방해하는 건 없겠지.

오 르 공　사정에 따라 다르겠지요.

클레앙트　한 마디면 되는 걸 왜 그렇게 비비 꼬는가? 발레르가 그 점을 확인하기 위해 날더러 자네를 만나 달라고 했네.

오 르 공　잘했군!

클레앙트　그 친구에게 뭐라고 하지?

오 르 공　좋을 대로 하세요.

클레앙트　자네 생각을 알아야지. 도대체 어쩔 셈인가?

오 르 공　하늘의 뜻에 따를 겁니다.

클레앙트　확실히 얘기하세. 약속을 지킬 텐가, 안 지킬 텐가?

오 르 공　안녕히 가세요.

클레앙트　아무래도 그 애의 사랑에 불행이 닥칠 것 같군. 가서 모든 걸 얘기해 줘야겠어.

제 2 막

제 1 장

오르공, 마리안느

오 르 공 마리안느.

마리안느 네, 아버지.

오 르 공 이리 가까이 오너라. 네게 은밀히 할 얘기가 있단다.

마리안느 뭘 찾으세요?

오 르 공 (작은 방을 살피며) 우리 얘기를 엿듣는 자가 없나 보는 거야. 이곳은 엿듣기 딱 좋은 곳이거든. 이젠 됐다. 마리안느, 난 언제나 네가 얌전하다고 생각했고, 또 언제나 널 소중히 여겼단다.

마리안느 아버지의 크신 사랑에 보답을 해야 할 텐데요.

오 르 공 옳거니, 너 말 잘했다. 그러려면 내 마음에 들도록만 하면 된단다.

마리안느 저로서도 그것이 가장 큰 영예랍니다.

오 르 공 그렇고말고. 우리 집 손님 타르튀프에 대해서 넌 어떻게 생각하느냐?

마리안느 누가요, 제가요?

오 르 공 너 말이다. 잘 생각해서 대답하거라.

마리안느 어쩌나! 아버지 좋으실 대로 대답하지요.

오 르 공 현명한 대답이로구나. 그럼 이렇게 말해 다오. 그분의 인격은 높은 덕으로 빛나고, 그분이 네 마음을 사로잡았고, 아버지가 그분을 너의 남편으로 선택한다면 기쁘겠다고 말이다. 어떠냐?

(마리안느, 놀라서 뒷걸음질친다.)

마리안느 예에?

오 르 공 왜 그러느냐?

마리안느 뭐라고 하셨지요?

오 르 공 뭐?

마리안느 제가 잘못 들었나요?

오 르 공 뭘?

마리안느 아버지, 지금 누가 제 마음을 사로잡고, 누가 아버지 뜻에 따라 제 남편이 되었으면 좋겠다고 말하라는 거예요?

오 르 공 타르튀프지.

마리안느 그럴 리가 있나요, 아버지. 왜 그런 거짓말을 하라는 거지요?

오 르 공 난 그게 진실이기를 바라는 거다. 내가 그분을 붙잡아둔 것도 다 너를 생각해서란다.

마리안느 뭐라구요? 아버지, 설마…?

오 르 공 그렇다. 나는 네 결혼을 통해 타르튀프를 우리 집 사람으로 만들고 싶단다. 그분이 네 남편이 될 것이야. 이미 그렇게 정했다. 그래서 네가 바라는 대로 난…….

제 2 장

도린느, 오르공, 마리안느

오르공　거기서 뭐하는 거지? 그렇게 우리 말을 엿듣다니 호기심이 지나치구나.

도린느　추측인지 운명의 장난으로 생긴 것인지는 몰라도 저도 이 결혼 이야기를 들은 적이 있어요. 하지만 허무맹랑한 얘기로 여겼지요.

오르공　그래서? 그게 믿을 수 없는 얘기란 말이냐?

도린느　주인어른께서 이렇게 말씀하셔도 믿을 수가 없을 정도예요.

오르공　믿게 할 방법을 내가 잘 알고 있지.

도린느　네, 네, 농담도 잘하시네요.

오르공　난 금세 보게 될 일을 얘기하고 있는 거야.

도린느　설마!

오르공　얘야, 내가 하는 말은 장난이 아니란다.

도린느　아버님 말씀을 믿지 마세요. 놀리고 계시는 거니까요.

오르공　너…….

도린느　아무리 그래도 소용 없어요. 절대로 믿지 않을 테니까요.

오르공　정말 화나게 만드는군…….

도린느　정 그러시다면 믿겠지만, 주인어른께는 안된 일이지요. 아니 그래, 얼굴 한가운데 수염도 길게 기르시고 현명해 보이시는 분께서 어디 정신이 이상하지 않고서야 그런 일을…….

오르공　잘 들어라. 넌 이 집에서 흉허물 없이 지내는데, 그게 내 맘에 안 들어. 분명히 말했다.

도린느　주인어른, 그렇게 화만 내지 마시고 얘길 해보세요. 그런 음모를 꾸미시다니 사람들을 놀리시는 건가요?

아가씨는 그런 답답한 신자에게 어울리지 않아요. 그자도 자기대로 딴생각이 있고요. 그리고 그런 결혼이 어른께 무슨 득이 되는 거지요? 재산도 넉넉하신 분이 그런 거지 사위를 고르실 일이 뭐가 있나요?

오르공 닥쳐! 그분이 가진 게 없다면, 바로 그 점이 존경받을 점이라는 걸 알아야 하는 거야. 그분의 가난은 청빈이야. 그 가난이 그분을 그 무엇보다 위대하게 하는 거란 말이다. 세속적인 것에 관심을 두지 않고 영원한 것에만 매달리다 보니 결국 재산을 잃고 만 거라구. 하지만 내 도움으로 어려움에서 벗어나 그 재산을 다시 찾을 수 있을 거야. 봉토도 있다는 말이 있는 걸 보면 귀족임에 틀림없어.

도린느 네, 다 자기가 하는 말이지요. 그런 허풍은 신앙심하고는 거리가 멀어요. 성스러운 생활을 하는 사람이 순수하다면 자기의 이름과 출생을 그처럼 자랑해서는 안 되지요. 겸손한 신앙생활 태도는 그런 야심의 허세를 허용하지 않으니까요. 그런데 그 거만함은 뭔가요? 이런 이야기는 주인어른의 기분을 상하게 하겠지요. 그러니 가문 얘기는 그만두고, 그분의 인격에 대하여 얘기해 볼까요. 그런 작자한테 아가씨 같은 따님을 주어도 아무렇지 않단 말인가요? 그런 결합이 타당한지, 그 결과가 어떨지 생각해 보셔야 되지 않을까요? 처녀의 의사가 무시된 결혼을 하였을 때 정절을 지키지 못할 우려가 있다는 걸 아셔야지요. 착실한 인간으로 사느냐는 여자에게 정해지는 남편의 자질에 달린 거랍니다. 가는 곳마다 손가락질

받는 자들은 제 아내를 그렇게 만드는 거예요. 그렇고 그런 남편을 위해서 정절을 지키기란 어려운 법이지요. 자기 딸이 싫어하는 사람을 굳이 배필로 정해 준다면, 그 딸이 잘못을 저질러도 하늘에 책임이 있는 겁니다. 주인어른의 계획이 어떤 위험을 가져올는지를 생각하셔야지요.

오르공　난 딸에게 사는 법을 가르쳐야 한다구.

도린느　제가 말씀드린 대로 하시는 게 좋을 터입니다.

오르공　이런 쓸데없는 소리로 시간을 허비하지 말자꾸나. 얘야, 네게 필요한 건 내가 잘 알아. 내가 네 애비가 아니냐. 발레르에게 널 주겠다고 약속했었지. 그렇지만 그 녀석은 도박 성향이 있다고들 하는데다 신앙심도 없는 것 같더라. 교회라고 나가는 걸 보지 못했으니 말이다.

도린느　꼭 주인어른께서 가시는 시각에 달려가야 하는 건가요? 눈에 띄기 위해서 가는 사람들처럼 말예요.

오르공　네 의견을 묻진 않았어. 한 분은 믿음으로 말하자면 세상에 그 이상 가는 이가 없으니, 그 무엇과도 바꿀 수 없는 부귀가 아니겠느냐. 이 결혼은 네가 바라는 바를 그득 채워 줄 테고, 또한 부드럽고 달콤한 생활이 될 것이다. 너희 부부는 신앙의 열정 속에서 두 어린아이처럼, 두 마리 산비둘기처럼 함께 살게 될 거야. 화를 내며 싸우는 일도 없을 테고, 그분을 네가 원하는 남편으로 만들 수도 있겠지.

도린느　뭐라구요? 바보로 만들기 딱 좋겠네요.

오르공　저런, 방정맞은 소릴!

도린느 그자의 꼬락서니가 그렇다는 얘기지요. 아가씨가 아무리 덕을 갖추었다 하더라도 그자가 타고난 건 어쩔 수 없는 거예요.

오르공 말 좀 가로채지 말고, 그 입 좀 닥쳐. 아무데나 코빼기 들이밀지 말고.

도린느 주인어른, 저는 그저 어르신을 위해서 말씀드리는 거라구요.

(그녀는 그가 딸에게 말을 하기 위해 돌아볼 때마다 끼어든다.)

오르공 친절이 너무 지나쳐. 제발이지 입 좀 다물어.

도린느 주인어른을 생각지 않는다면 몰라도…….

오르공 생각해 줄 필요 없다.

도린느 싫다고 하셔도 저는 생각하고 싶답니다.

오르공 거참!

도린느 주인어른의 명예가 너무도 소중하거든요. 주인어른께서 사람들의 야유를 받는 게 저로서는 괴롭기 그지없답니다.

오르공 정말 입 다물지 못하겠어?

도린느 그런 혼사가 이루어지도록 내버려두자니 양심의 가책을 느껴서 그래요.

오르공 닥치라니까! 어디서 건방지게 뱀처럼 혀를 놀려대는 거야?

도린느 아이쿠! 신자께서도 화를 내시나요?

오르공 그래, 그 따위 엉터리 소리를 들으면 속이 부글부글 끓어. 분명히 말하지만 입 닥치라구.

도린느 좋아요. 그렇지만 말을 않는다고 해서 생각이 달라지는 건 아니에요.

오르공　네 멋대로 생각해. 그렇지만 입 떼지 않도록 조심하라구. 그렇잖으면…… 됐어. (딸을 돌아보며) 현명하게 모든 점을 충분히 고려했단다.

도린느　입 다물고 있자니 울화통이 터지네. (오르공이 돌아보면 입을 다문다.)

오르공　타르튀프가 멋쟁이 청년은 아니지만…….

도린느　네, 낯짝 한번 잘났지요.

오르공　다른 모든 점들도 네 마음엔 안 들겠지…….
(그는 도린느 쪽으로 돌아서며, 팔짱을 낀 채 그녀를 바라본다.)

도린느　아가씨는 운도 좋으시네요! 제가 아가씨 입장이라면, 절대로 이런 강제 결혼에 순순히 응하지 않을 거예요. 결혼식만 끝나면 언제든지 복수할 수 있다는 걸 그 남자에게 확실히 인식시켜 주지.

오르공　그래 내 말은 무시할 작정이냐?

도린느　왜 그러세요? 주인어른께 말씀드린 게 아닌데요.

오르공　그럼 뭘 하는 거지?

도린느　혼잣말을 하고 있는 거예요.

오르공　좋아, 그 버르장머리를 고쳐 주기 위해서라도 따귀를 한 대 갈겨야겠어.
(그는 뺨을 때릴 태세를 취한다. 그러자 도린느는 그가 노려볼 때마다 입을 다물고 꼿꼿이 선다.)
얘야, 내 계획에 찬성해야 한다……. 내가 고른 남편감은…… 왜 말이 없느냐?

도린느　전 할 말이 없는걸요.

오르공 어디 한 마디만 더 해봐라.

도린느 전 그자가 마음에 들지 않아요.

오르공 옳지, 내 기다리고 있었다.

도린느 이런 바보같이!

오르공 얘야, 내 결정을 고분고분히 받아들여야 한다.

도린느 (도망가면서) 저 같으면 그런 남편을 받아들일 생각일랑은 추호도 없을 거예요.

(오르공이 그녀의 뺨을 때리려고 하나 실패한다.)

오르공 어떻게 저렇듯 끔찍한 것이 너랑 있게 된 거냐. 저런 것하고 함께 있자니 나까지 죄를 짓게 되는구나. 지금은 계속할 상태가 아닌 것 같다. 버릇 없이 시껄여대는 걸 보고 있자니 울화가 치밀어서. 밖에 나가 바람 좀 쐬고서 마음을 가라앉혀야겠다.

제 3 장

도린느, 마리안느

도린느 아가씨는 말문이 막히셨어요? 제가 아가씨 역할을 대신해야 하나요? 그런 어이없는 계획에 충격을 받아 한 마디도 못하시다니오!

마리안느 완고한 아버지 앞에서 무슨 말을 하겠어?

도린느 그런 공갈을 못하시도록 막아야지요.

마리안느 어떻게?

도린느 사랑하는 건 남의 뜻대로 되는 게 아니고, 결혼은 아가씨를 위해 하는 것이지 아버지를 위해 하는 게 아니라고 말씀드려야죠. 모든 일이 아가씨에 관한 것인 만큼 남편은 아버지가 아니라 아가씨 마음에 들어야 한다고요. 그렇게 타르튀프가 주인어른 마음에 드신다면 본인이 직접 결혼하시면 되잖느냐고 말예요.

마리안느 아버지는 우리에게 너무도 무서운 존재라, 어떤 말씀도 감히 드린 적이 없었어.

도 린 느 하지만 생각해 보세요. 발레르 님은 아가씨에게 다가오셨는데, 그분을 사랑하시는 거예요 아녜요?

마리안느 아! 내 사랑을 어떻게 그렇듯 잘못 생각할 수 있어, 도린느! 어떻게 내게 그런 질문을 할 수가 있어? 내 마음을 이미 수백 번도 더 말했고, 그이를 향한 내 사랑이 얼마나 큰지 잘 알면서 그럴 수 있는 거야?

도 린 느 그 말이 마음에도 없는 빈말인지, 정말로 그분을 사랑하시는지 제가 어떻게 알아요?

마리안느 그걸 의심하다니 정말이지 너무해. 내 감정은 터질 것만 같은데.

도 린 느 그러니까, 좋아하시는 거죠?

마리안느 그럼, 너무도 열렬히.

도 린 느 그분도 아가씨를 사랑하는 것 같죠?

마리안느 그런 것 같아.

도 린 느 두 분 모두 간절히 결혼하고 싶으신 거지요?

마리안느 물론이지.

도 린 느 그럼 다른 혼담은 어떻게 하실 거예요?

마리안느 강제로 결혼시킨다면 죽어 버리겠어.

도 린 느 멋지군요. 그건 제가 미처 생각지 못한 방법이네요.

골칫거리에서 벗어나기 위해 죽어 버리면 된다 이거죠. 기막힌 해결책이네요. 이런 말을 들으면 전 울화가 치밀어요.

마리안느 어머나! 도린느, 왜 그렇게 화를 내! 남의 슬픔도 몰라 주고.

도 린 느 이런 경우에 아가씨처럼 약해지고, 바보 같은 소리나 하는 사람은 동정할 수가 없어요.

마리안느 도대체 어떡하란 말이야? 난 너무도 소심한걸.

도 린 느 사랑을 하면 강해지는 법이에요.

마리안느 하지만 발레르를 향한 열정은 확고하잖아? 그리고 아버지로부터 허락을 얻어내는 건 그분이 할 일 아니야?

도 린 느 뭐라구요? 그럼 아버님이 타르튀프한테 홀딱 빠져서 이 정혼을 깨뜨려도 잘못이 아가씨 애인에게 있다는 말예요?

마리안느 그럼 단호히 거절하며 경멸의 빛을 드러내 보이면서, 내가 선택한 사람에게 홀딱 빠져 있다는 걸 보여야 한단 말이야? 아무리 사랑에 눈이 멀어도 그렇지, 그 이를 위해 여자로서의 부끄러움도 잊고, 딸로서의 도리조차 잊으란 말이야? 온 세상 사람들 앞에 내 감정을 드러내 보이면서…?

도 린 느 아니에요, 아니에요. 전 아무것도 바라지 않아요. 제가 보기에 아가씨는 타르튀프 씨에게 시집가고 싶어 하는 것 같아요. 그러고 보니 이 결혼을 막아 보려는 제가 잘못된 것 같군요. 아가씨의 소원을 가로막을 이유가 어디 있겠어요? 스스로 결심을 한 건 아주 잘

된 일이에요. 타르튀프 씨라! 아버님이 아무나 권하시겠어요? 잘 생각해 보면 타르튀프 씨는 보통 사람이 아니에요. 그의 반려자가 된다는 건 보통 행운이 아니에요. 모두가 그 사람을 칭찬하잖아요. 고향에서는 귀족이라죠, 풍채도 좋죠. 귀는 붉고, 얼굴빛은 화색이 돌지요. 그런 남편과 함께라면 너무도 행복하시겠어요.

마리안느 세상에…!

도 린 느 그렇게 잘난 남편의 아내가 된다니 얼마나 좋으시겠어요!

마리안느 제발! 그 따위 말일랑 그만 좀 해. 그리고 이 혼담을 깰 방법을 일러 줘. 항복했어. 뭐든 하겠어.

도 린 느 아니에요. 아버님의 말에 복종해야지요. 원숭이를 남편으로 삼으라고 할지라도 말예요. 아가씨 운명은 너무도 멋져요. 뭐가 불만이세요? 마차를 타고 그분의 마을로 갈 것이고, 백부들이며 사촌들이 많아 좋을 것이고, 그들과 어울려 사는 것도 재미있을 거예요. 먼저 상류 사회에 소개되겠죠. 환영 모임차 대법관 부인과 의원 부인댁을 방문하면, 부인들은 아가씨께 의자를 권하겠지요. 사육제 때는 무도회와 대악단을 기대할 수 있을 거구요. 두 개의 아코디언 악단 말이지요. 때로는 광대와 인형극을 볼 수도 있을 거예요. 그렇지만 남편께서…….

마리안느 제발! 그만 좀 괴롭혀. 그러지 말고 나를 구할 방법이나 강구해 줘.

도 린 느 전 그저 하녀에 지나지 않는걸요.

마리안느 도린느, 제발 좀…….

도 린 느 이 일이 이루어져 혼이 좀 나셔야 해요.

마리안느 제발!

도 린 느 싫어요.

마리안느 내가 바라는 건…….

도 린 느 아뇨, 결국 타르튀프는 아가씨의 남편이 되고 말 거예요.

마리안느 너에게만은 언제나 내 속마음을 털어놓은 걸 너도 잘 알잖아. 그러니 제발…….

도 린 느 안 돼요. 아가씨는 이러다가 타르튀프의 부인이 되고 말 거예요.

마리안느 알았어! 내 운명이야 어찌되었건 상관 없다면, 앞으로 나 혼자 절망하게 내버려둬. 절망에다 도움을 청할 테니. 난 이 고통에서 헤어날 확실한 방법을 알아. (그녀는 나가려 한다.)

도 린 느 아가씨! 자, 돌아오세요. 화 그만 낼게요. 아무리 그래도 아가씨를 동정한다구요.

마리안느 분명히 말하지만, 그처럼 잔인한 고통을 당하느니 차라리 죽어 버리고 말 거야.

도 린 느 걱정 마세요. 그걸 교묘하게 막는 수가 있을 테니까요……. 저기 아가씨가 좋아하시는 발레르 님이 오시네요.

제 4 장

발레르, 마리안느, 도린느

발 레 르　방금 내가 모르던 소식을 들었어요. 아마도 당신에게는 좋은 소식이겠지요.

마리안느　뭔데요?

발 레 르　당신이 타르튀프와 결혼한다는 얘깁니다.

마리안느　아버지께서 그런 계획을 품고 계신 건 확실해요.

발 레 르　당신 아버지께서요…….

마리안느　마음이 달라지셔서 내게 그런 말씀을 하셨어요.

발 레 르　뭐라구요? 진심으로요?

마리안느　네, 진심으로요. 그 결혼을 분명하게 선언하셨어요.

발 레 르　당신 마음은 어떤가요?

마리안느　모르겠어요.

발 레 르　솔직한 대답이로군요. 모른다구요?

마리안느　네.

발 레 르　네라구요?

마리안느　그럼 어떻게 하면 좋겠어요?

발 레 르　내가 보기엔 그자와 결혼하는 게 좋겠군요.

마리안느　그러라구요?

발 레 르　네.

마리안느　정말이세요?

발 레 르　물론입니다. 훌륭한 선택일 테니, 그걸 따르는 게 좋겠죠.

마리안느　좋아요! 충고를 받아들이지요.

발 레 르　그 충고를 따르는 게 그다지 힘들 것 같지도 않군요.

마리안느　그 충고를 하는 당신이 힘들지 않은 것처럼요.

발 레 르　난 당신의 기쁨을 위해 그 충고를 했을 뿐이에요.

마리안느　난 당신의 기쁨을 위해 그 충고를 따를 거예요.

도 린 느　일이 어떻게 되어가는 건지 두고 보자.

발 레 르　그래 이것이 사랑이라는 겁니까? 거짓이었군요. 일전에 당신이…….

마리안느　제발 그 얘기는 그만두어요. 당신은 아버지께서 내게 권하는 자를 남편으로 받아들여야 한다고 솔직히 말했어요. 당신이 그처럼 유익한 충고를 해주셨으니, 나도 그걸 받아들이겠다고 분명히 말씀드리죠.

발 레 르　내 의도니 뭐니 하면서 변명하지 마세요. 이미 당신은 결심을 하고 있었으니까. 약속을 깨뜨리는 걸 합리화하려고 하찮은 구실에 매달리는 겁니까?

마리안느　그래요, 말씀 한번 잘하셨어요.

발 레 르　암요, 당신은 한번도 나를 진정으로 사랑한 적이 없었던 겁니다.

마리안느　세상에! 그렇게 생각하는 건 당신 자유죠.

발 레 르　네, 네. 내 자유지요. 하지만 나도 마음이 상한 이상 아마도 똑같은 계획을 당신께 통고할 겁니다. 어디에다 내 마음을 바치고 청혼을 해야 하는지 잘 아니까요.

마리안느　아! 그러시겠죠. 인물이 뛰어나시니 열정도 많으시겠지요…….

발 레 르　세상에! 인물 얘길랑 그만둡시다. 분명 난 인물이 너무도 부족하니까요. 당신이 그걸 증명해 주지 않았습니까. 하지만 다른 여자만큼은 내게 선의를 보여 주길 바랄 뿐이죠. 내가 버림받은 걸 알고 나면, 그녀의 영혼이 나의 상처를 달래 줄 것입니다.

마리안느　상처가 깊지도 않을 거예요. 이 변화에 쉽게 마음을 달랠 수도 있을 거구요.

발 레 르 그러려고 최대한 노력해야지요. 그렇게 믿으셔도 좋습니다. 버림을 받게 되면 체신이라도 지켜야죠. 잊기 위해 온 정성을 다해야지요. 그것이 힘들면, 적어도 그런 척이라도 해야지요. 떠나간 사람을 위해 사랑을 보이는 것은 결코 용서할 수 없는 비겁한 태도입니다.

마리안느 참으로 거룩하고도 고상한 마음이로군요.

발 레 르 그럼요. 서로가 그런 마음을 받아들여야지요. 아니 그러면 내가 영원히 당신을 향한 열정을 마음에 간직하고, 당신이 내 눈앞에서 다른 사람의 품으로 떠나가는 걸 멀거니 보고 있기를 바라는 겁니까? 당신이 원하지 않는 내 마음을 다른 이에게도 주지 않고서 말입니다.

마리안느 천만에요. 내가 바라는 건 정반대예요. 얼른 그렇게 되기를 바라죠.

발 레 르 그러길 바란다구요?

마리안느 그래요.

발 레 르 이 정도 모욕을 받았으면 충분해요. 이 길로 가서 당신을 만족시켜 드리죠.

(그는 떠나기 위해 한 발짝 걸음을 옮기다가, 다시 돌아온다.)

마리안느 잘됐군요.

발 레 르 적어도 날 이런 극단적인 행동으로 몰아넣은 게 당신이란 사실만큼은 기억해 두십시오.

마리안느 그러죠.

발레르 그리고 내가 품은 이 계획 또한 당신을 따라서 한 거라는 것도.

마리안느 날 따라서라구요? 좋아요.

발레르 됐어요. 언제든지 원하시면 해보일 테니까요.

마리안느 잘됐군요.

발레르 날 보는 게 이제 마지막이 될 것입니다.

마리안느 마침 잘됐군요.

발레르 네?

(그는 가다가 문께에서 되돌아본다.)

마리안느 왜 그러시죠?

발레르 날 부른 것 아닌가요?

마리안느 내가요? 그럴 리가요.

발레르 그렇다면 계속 가겠습니다. 안녕히 계십시오.

마리안느 안녕히 가세요.

도린느 이런 어처구니없는 일로 정신이 어떻게 되신 것 같군요. 도대체 두 분 싸움이 어디까지 가나 보려고 가만히 내버려두었더니, 원. 이봐요, 발레르 씨!

(그녀가 가서 발레르의 팔을 붙들자, 그는 뿌리치는 척한다.)

발레르 아니, 왜 그러지, 도린느?

도린느 이리 와보세요.

발레르 싫어, 화가 나서 못 견디겠어. 그녀가 원하는 대로 할 테니 말리지 말라구.

도린느 가만히 계세요.

발레르 싫다니까. 이미 마음을 정했다구.

도린느 허 참!

마리안느　날 보는 게 괴로운 거야. 내가 있어서 나가려는 거라구. 그러니 내가 자리를 비켜 주는 게 낫겠어.

도 린 느　저쪽으로 가봐야겠네. 어딜 가시는 거예요?
(그녀는 발레르를 놓아두고 마리안느에게로 달려간다.)

마리안느　내버려둬.

도 린 느　돌아오셔야 해요.

마리안느　싫어, 도린느. 날 붙들어도 소용 없어.

발 레 르　날 보는 게 괴로운가 보군. 괴로움을 덜어 주는 게 좋겠어.

도 린 느　(마리안느를 떠나 발레르에게로 달려간다.) 또 왜 그래요? 귀신이 잡아가기라도 했으면 좋겠네요! 두 분 다 이런 장난 그만두시고 이리로 오세요.
(그녀는 둘 다 잡아끈다.)

발 레 르　어쩔 셈이야?

마리안느　뭘 하려고 그래?

도 린 느　두 분을 화해시키고, 골치아픈 일을 해결하려구요. 그런 다툼을 하시다니 두 분 다 정신이 있으신 거예요?

발 레 르　그녀가 내게 어떻게 말했는지 다 듣지 않았어?

도 린 느　그렇게 화를 내시다니, 아가씨도 정신이 어떻게 되셨어요?

마리안느　그이가 날 어떻게 대했는지 못 보았어?

도 린 느　두 분 다 어리석어요. 아가씨는 당신만을 위해 몸을 아끼는 것밖에 생각지 않아요. 제가 증인이에요. 이 분은 아가씨만을 사랑하고, 아가씨 남편이 되기만을 간절히 바라지요. 제 목숨을 걸고 하는 말이에요.

마리안느　그런데 왜 내게 그런 충고를 한단 말이야?

발 레 르 왜 그런 걸 내게 묻는단 말이오?

도 린 느 두 분 다 도셨군요. 자, 두 분 다 손을 내미세요. 어서요.

발 레 르 (손을 도린느에게 내밀면서) 내 손은 왜?

도 린 느 자, 아가씨도요.

마리안느 (손을 내밀면서) 도대체 어쩌려고?

도 린 느 이런! 얼른 가까이 오세요. 두 분은 생각하는 것보다 훨씬 서로를 사랑하고 있어요.

발 레 르 일을 힘들게 만들지 맙시다. 화만 내지 말고 사람을 좀 보세요.

(마리안느, 발레르에게 눈길을 돌리며 살짝 웃는다.)

도 린 느 솔직히 말해 연인들이란 모두 돌았지요!

발 레 르 내가 당신을 원망하는 건 당연하잖아요? 솔직히 말하면, 나한테 그처럼 가슴 아픈 말을 하다니 마음씨가 고약한 것 아닙니까?

마리안느 그러는 당신이야말로 그 누구보다도 냉담한 사람 아닌가요…?

도 린 느 이런 논쟁일랑 다음으로 미루고, 그 고약한 혼담이나 저지할 생각을 해보자구요.

마리안느 어떤 방법을 써야 할지 얘기 좀 해봐.

도 린 느 모든 수단을 다 동원해야지요. 발레르 씨 아버님은 이걸 무시하는 거예요. 헛소리라고요. 그렇지만 아가씨는 아버님의 터무니없는 소리를 고분고분히 받아들이는 척하시는 게 좋겠어요. 그래야 급한 경우 이 혼담을 늦추기가 쉬울 테니까요. 시간만 벌게 되면 무엇이든 해결할 수 있지요. 갑자기 아프다고 해서 미

루기도 하고, 때로는 불길한 징조를 내세우세요. 또 운 나쁘게 장송 행렬을 만났다거나, 거울을 깼다거나, 흙탕물 꿈을 꾸었다거나 하는 거예요. 어찌됐건 아가씨가 '예'라고 하기 전까지는, 그자가 아닌 다른 사람들에게 결혼시킬 수 없다는 점만큼은 잘된 일이죠. 그리고 일이 잘되게 하려면, 두 분이 이렇게 함께 얘기하는 걸 들키지 않는 게 좋을 것 같아요. (발레르에게) 가세요, 그리고 지체 없이 친구들의 힘을 빌려 주인어른이 한 약속을 지키게 하세요. 우리는 아가씨 오빠의 힘을 빌리러 가요. 그리고 어머님을 우리 편으로 끌어들여요. 안녕히 가세요.

발 레 르 (마리안느에게) 우리 모두가 어떤 노력을 하건, 내게 가장 큰 희망은 당신한테 있어요.

마리안느 (발레르에게) 아버지의 의도에 대해서는 뭐라 못하겠어요. 하지만 난 당신이 아닌 그 누구에게도 가지 않겠어요.

발 레 르 이제야 마음이 놓이는군요! 무슨 일이 일어나더라도…….

도 린 느 아! 연인들이란 아무리 종잘거려도 지치지 않나 봐. 얼른 가세요.

발 레 르 (한 발짝 가다가 돌아온다.) 그러니까…….

도 린 느 저렇게 수다스럽다니까! 이쪽으로 가시고, 당신은 저쪽으로 가세요.

(그녀는 두 사람의 어깨를 각각 떼민다.)

제 3 막

제 1 장

다미스, 도린느

다 미 스 내 머릿속을 터뜨리지 않는다면 벼락이 내 운명을 이 자리에서 끝장내 버려도 좋고, 가는 곳마다 날 상놈 중의 상놈으로 취급해도 좋아. 그 어떤 존경심이나 권력도 날 막지는 못할 거야!

도 린 느 제발이지, 그 흥분 좀 가라앉히세요. 아버님은 그저 그런 말을 하셨을 뿐이에요. 얘기가 나왔다고 해서 다 실행되는 건 아니잖아요. 계획이 세워져서 실천되기까지는 갈 길이 멀어요.

다 미 스 그자의 음모를 막아야만 해. 그 작자의 귀에다 대고 해줄 말도 있어.

도 린 느 아이구! 참으세요! 그자나 아버님에 대해서는 어머님께서 처리하시도록 맡기세요. 타르튀프에 대해서라면 어머님의 영향력이 먹히지요. 그자는 어머님이 하는 말이라면 모조리 아첨을 떠니까요. 어쩌면 어머님께 마음이 있는 건지도 몰라요. 그게 사실이라면 얼마나 좋겠어요! 일이 멋지게 되어갈 텐데요. 어머님께서 그자를 부른 건 도련님을 생각해서예요. 도련님이 걱정하는 결혼에 대한 그자의 생각을 떠보고, 또 그자의 감정을 알아보려는 거지요. 그리고 그 일로 인해 어떤 유감스런 일들이 일어날 수 있는지를 그자에게 알려 주시려는 거예요. 그건 그렇고 그자의 하인이 그러는데 그자가 곧 이리로 내려올 거랍니다. 그러니 어서 나가세요. 저 혼자 기다릴게요.

다 미 스 그 자리에 나도 있어도 되잖아.

도 린 느 안 돼요. 두 분만 계셔야 해요.

다 미 스 그자에겐 아무 말도 안할게.

도 린 느 누구를 놀리시는 거예요. 금세 흥분하시는 걸 잘 아는데요. 그러면 진짜로 일을 망치게 되니까, 나가 주세요.

다 미 스 아냐, 화내지 않고 보기만 할게.

도 린 느 참으로 답답하시네요! 그자가 와요. 가세요.

제 2 장

타르튀프, 로랑, 도린느

타르튀프 (도린느를 보고서) 로랑, 내 고행복을 고행채찍으로 졸라매거라. 그리고 언제나 네게 계시를 주시도록 하나님께 기도하거라. 누가 나를 만나러 오거든 헌금을 나누어 주러 죄수들에게 갔다고 하거라.

도 린 느 저 겉치레에다 허풍하고는!

타르튀프 무슨 일이냐?

도 린 느 전할 말씀이…….

타르튀프 (주머니에서 손수건을 꺼내며) 아! 제발 부탁하건대, 말하기 전에 이 손수건을 받거라.

도 린 느　네?

타르튀프　차마 그 가슴을 볼 수 없으니 가려 다오. 그런 것으로 인해 영혼이 상처를 입고, 불순한 생각을 하게 되는 거니까.

도 린 느　그럼 선생께선 유혹에 약하신가 보군요. 선생의 감각은 육체에 퍽 민감하신가 보죠? 물론 전 어떤 열정이 선생을 휘감는지 모르지요. 하지만 저 같으면 그렇듯 쉽사리 탐하게 되지는 않을 거예요. 선생께서 머리에서 발끝까지 발가벗으신 모습을 보더라도, 그 피부에 유혹되지 않을 거라구요.

타르튀프　말조심해라. 그렇잖으면 내 당장 자리를 뜰 테니.

도 린 느　아니에요, 제가 곧 비켜 드리죠. 전 그저 한 마디만 전해 드리면 되니까요. 주인마님께서 이 누추한 곳으로 오실 겁니다. 잠깐 말씀드릴 게 있으시다는데 괜찮으시죠.

타르튀프　아이구! 얼마든지.

도 린 느　(혼잣말로) 좋아도 하네! 내가 말한 게 분명 맞아.

타르튀프　금방 오실까?

도 린 느　지금 오시는 것 같군요. 네, 맞아요. 마님이 맞아요. 그럼 전 이만.

제 3 장

엘미르, 타르튀프

타르튀프　하늘의 은총이 듬뿍 내려 부인의 영혼과 육체가 모두 건강하시길. 하나님으로부터 사랑의 영감을 받는 자들 가운데 가장 비천한 자가 바라는 바대로 부인의 나날에 축복이 깃들기를 빕니다.

엘 미 르 그 경건하신 바람에 감사드립니다. 좀더 편하게 의자에 앉으실까요.

타르튀프 병환은 다 나으셨는지요?

엘 미 르 네, 좋습니다. 열도 금세 내렸어요.

타르튀프 제 기도가 그런 하늘의 은총을 받을 만하지는 못합니다만, 전 그저 부인의 회복을 기원하는 기도만을 열심히 올렸지요.

엘 미 르 저를 위해 너무도 마음을 많이 쓰셨군요.

타르튀프 부인의 건강은 아무리 소중히 여겨도 지나치지 않지요. 부인의 건강을 위해서라면 제 건강이라도 내놓을 것입니다.

엘 미 르 교인으로서의 자비심이 너무도 크시군요. 이 모든 호의에 대해 제가 진 빚이 많습니다.

타르튀프 부인께서 받아 마땅한 것에 비하면 제가 한 것은 너무도 미미할 따름입니다.

엘 미 르 어떤 일에 대해 은밀히 얘기를 나누고 싶었는데, 이렇게 아무도 보는 사람이 없으니 마음이 놓입니다.

타르튀프 저도 마찬가지로 기쁩니다. 부인과 단둘이 있게 되다니 너무도 감미롭습니다. 이런 기회를 달라고 하나님께 기원해 왔는데, 지금 이 시간까지는 주시지 않으셨죠.

엘 미 르 여쭈어 보고 싶은 게 있는데, 마음을 솔직히 털어놓으시고 제게 아무것도 숨기지 말아 주세요.

타르튀프 이런 특별한 은총을 받았으니, 저도 제 영혼을 고스란히 보여 드릴까 합니다. 그리고 맹세코 말씀드립니다만, 부인의 매력에 이끌려 이 집을 드나드는 방문객들에 대해 제가 한 말들은 결코 부인에 대한 증오심에서 나온 것이 아니라, 오히려 저를 이끄는 열정과 순수한 마음에서…….

엘 미 르 저도 좋게 생각하고 있어요. 제 구원을 위해 그렇듯 마음을 쓰시는 거라고 생각하지요.

타르튀프 그렇습니다, 부인. 제 열정이 너무도…….

엘 미 르 아야! 너무 세게 잡으셔서 아파요.

타르튀프 열정이 지나쳐서 그만 저도 모르게 부인을 아프게 해드렸군요. 그렇다면 차라리…….

(그는 엘미르의 무릎 위에다 손을 얹는다.)

엘 미 르 선생 손이 왜 거기에 있지요?

타르튀프 부인의 옷자락을 만지고 있습니다. 천이 참 부드럽군요.

엘 미 르 어머나! 제발 그만두세요. 전 간지럼을 유난히 많이 타거든요.

(그녀는 의자를 뒤로 옮긴다. 그러자 타르튀프가 자기 의자를 가까이 당긴다.)

타르튀프 세상에! 이 작품은 참으로 훌륭합니다! 요즈음은 솜씨들이 놀라울 정도로 좋아졌습니다. 이처럼 잘된 것은 도무지 보지를 못했습니다.

엘 미 르 그래요. 그건 그렇고 우리 용건에 대해 숨김 없이 말해 봅시다. 제 남편이 약속을 취소하고서 선생께 딸을 주려 한다고 들었는데, 사실인가요?

타르튀프 얼핏 그런 말씀을 하셨는데, 사실을 말하자면 부인, 그건 제가 바라는 행복이 아니랍니다. 저의 모든 소원을 이루는 행복은 다른 데 있습니다.

엘 미 르 그건 선생께서 이 지상의 그 무엇도 사랑하지 않기 때문이지요.

타르튀프 제 가슴이라고 돌심장이 들어 있는 건 아닙니다.

엘 미 르 제가 보기에 선생의 갈망은 온통 하늘을 향해 있고, 이 세상의 그 무엇도 선생의 욕망을 붙들지 못하는 것 같습니다.

타르튀프 우리를 영원불멸의 아름다움으로 이끄는 사랑도 세속적인 것에 대한 사랑을 질식시키지는 않습니다. 우리의 감각은 하나님이 만드신 완벽한 작품에 쉬이 매료됩니다. 그분께서 숙고하여 만드신 매력이 부인과 같은 분들에게서 빛을 발합니다. 특히 하나님은 부인에게서 가장 보기 드문 경이를 펼쳐 보이십니다. 하나님은 부인의 얼굴에다 눈을 놀라게 하고 마음을 황홀케 하는 아름다움을 쏟아 놓으셨습니다. 완벽한 피조물인 부인을 보면 자연의 창조주를 찬양하지 않을 수 없습니다. 하나님이 직접 그리신 가장 아름다운 초상에 제 마음은 타오르는 애정을 느낍니다. 이 은밀한 열정을 처음엔 악마의 교묘한 기습이라 여겨, 부인의 눈길을 피하려고 결심하기까지 했습니다. 부인을 제 구원의 방애물로 생각했던 거지요. 하지만 너무도 사랑스런 당신, 마침내 전 깨달았습니다. 이 열정은 죄가 될 수 없으며, 정숙함과 부합될 수 있다는 것을 말입니다. 그래서 전 그 열정에 마음을 내맡겼답니다. 고백합니다만, 이 마음을 감히 부인께 바친다는 것이 너무도 뻔뻔스러운 행동이라는 걸 잘 압니다. 하지만 전 오직 부인의 선의를 고대할 뿐, 미천한 저의 보잘것 없는 노력에는 아무것도 기대하지 않습니다. 저의 희망, 저의 행복, 제 마음의 평화가 당신 안에 있으며, 제 고통이나 무상의 기쁨도 당신께 달려 있습니다. 당신의 결정에 따라 저는 행복해지거나 불행해질 것입니다.

엘 미 르 너무도 정중한 고백이십니다. 그런데 사실을 말하자면 약간 놀랍습니다. 제가 보기에 마음을 좀더 무장하시고, 그런 결심에 대해 좀더 이치를 따져 생각해 보셔야 할 것 같습니다. 선생처럼 모두가 알아 주는 독실한 신자께서…….

타르튀프 신자라고 해서 남자가 아닌 건 아닙니다. 부인의 천상의 아름다움을 보게 되면 마음이 사로잡히게 되고, 이성으로 판단할 수 없게 된답니다. 제가 이런 말을 하는 게 이상하게 보이리라는 걸 저도 압니다. 하지만 부인, 어쨌든 저는 천사가 아닙니다. 제가 부인께 하는 고백을 책망하신다면, 부인의 매혹적인 아름다움도 책망하셔야 합니다. 그 아름다움의 초인간적인 광채를 보는 순간 당신은 제 마음의 주인이 되셨습니다. 형용할 수 없이 부드러운 당신의 성스런 눈길은 저항하는 제 마음을 무너뜨렸습니다. 단식도 기도도 눈물도 소용 없고, 제 모든 소원은 당신의 아름다움을 향해 쏠리게 되었습니다. 눈길과 한숨으로 당신께 수천 번 호소했습니다만, 제 마음을 좀더 잘 설명하기 위해 이렇게 목소리를 빌리는 것입니다. 보잘것 없는 당신의 노예의 고뇌를 좀더 너그러운 마음으로 보아 주시고, 비천한 저를 몸소 위로해 주시기만 한다면, 오 황홀한 경이여, 저는 비할 데 없는 헌신을 언제나 당신께 바칠 것입니다. 저와 함께라면 당신의 명예에 해가 될 우려도 없고, 제 편에서 당신을 저버릴 일도 없을 것입니다. 여자들이 죽고 못 사는 저 궁정의 한량들은 모두가 행실만 요란하고 말은 헛되기만 합니다. 애정 관계가 발전되면 저들은 떠벌려댑니다. 저네들이 폭로하는 것에 대해 조금도 고려하지 않고, 그들을 믿고 털어놓는 것을 조심성 없는 언사로 떠벌리니, 마음을 바치는 제단을 더럽히는 것과 다름없습니다. 하지만 우리 같은 사람은 은밀한 열정에 불타기에, 우리와 함께라면 언제까지나 비밀을 보장할 수 있습니다. 자신의 평판에 신경을 쓰기 때문에 사랑하는 사람을 위해서도 모든 걸 조심하지요. 우리 같은 사람의 마음을 받아들이면 추문 없는 사랑, 두려움 없는 쾌락을 즐길 수 있습니다.

엘 미 르 알겠습니다. 제가 받아들이기엔 꽤 강한 표현을 하십니다만, 무슨 말씀인지는 알겠습니다. 그런데 그렇듯 열렬한 사랑을 제가 남편에게 얘기하지나 않을까, 그처럼 성급한 사랑 고백이 남편이 선생께 보이는 우정을 해치진 않을까 염려되지 않으시나요?

타르튀프 부인께선 너무도 마음이 고우셔서 경솔한 저를 용서하시리라 믿습니다. 너무도 강한 사랑의 격정으로 인해 부인의 마음을 상하게 했을지라도 인간적인 약점으로 보아 용서하시리라 생각합니다. 부인의 자태를 보셔서 제가 장님이 아니며, 인간은 육체로 이루어져 있다는 사실을 고려해 주십시오.

엘미르 다른 이들은 아마도 이 일을 다른 식으로 받아들이겠지만, 전 조용히 처리하고자 합니다. 이 일에 대해서는 남편에게 한 마디도 않겠습니다. 하지만 그 대신 한 가지 부탁드릴 게 있어요. 발레르와 마리안느의 결혼에 대해 어떤 트집도 잡지 마시고 확실히 밀어 주십시오. 다른 사람의 행복으로 당신의 희망을 채우려는 그릇된 권력을 스스로 거부하십시오. 그리고…….

제 4 장

다미스, 엘미르, 타르튀프

다미스 (숨어 있던 방에서 나오며) 안 됩니다, 어머니. 안 돼요. 이 일은 모두에게 알려야 합니다. 저는 저기서 모든 걸 다 들었습니다. 하늘의 뜻이 저를 저곳으로 인도한 것 같습니다. 저를 해치는 음흉한 자의 콧대를 꺾어 놓고, 그의 위선과 오만함에 대해 복수를 할 길을 열어 주기 위해서 말입니다. 아버지를 속임수에서 벗어나게 하고, 어머니께 사랑을 속삭이는 이 간악한 자의 본성을 일러 드릴 수 있게 되었습니다.

엘미르 아니야, 다미스. 이분이 좀더 현명해지셔서 나의 호의에 보답하도록 노력해 주기만 한다면 그걸로 된 거야. 내가 약속한 것을 지킬 수 있도록 해다오. 법석을 떠는 건 내 성미에 맞지 않아. 현명한 아내는 이와 같은 어리석은 일쯤은 웃어넘기고, 남편에게 알려 걱정을 끼치지 않는 법이야.

다 미 스 어머니께서 그렇게 하시는 건 일리가 있습니다. 하지만 제가 다르게 행동하는 것에도 제 나름의 이유가 있습니다. 이런 자를 너그럽게 보아넘기면 조롱거리가 됩니다. 저자의 위선적인 언행의 오만불손함은 제 정당한 분노를 너무도 짓눌렀고, 우리 집안을 너무도 엉망으로 만들어 놓았습니다. 이 사기꾼은 너무도 오랫동안 아버지를 조종해 왔고, 제 사랑과 발레르의 사랑을 방해하였습니다. 아버지께서 이 나쁜 자의 농락에서 벗어나셔야 합니다. 그를 위해 하늘이 제게 좋은 방법을 제공한 것입니다. 하늘이 내리신 이 기회, 놓치기에는 너무도 좋은 기횝니다. 기회를 손에 넣고도 이용하지 않는다면, 하늘이 그 기회를 앗아간다 해도 할 말이 없습니다.

엘 미 르 다미스…….

다 미 스 아닙니다. 저는 제 신념을 따라야겠습니다. 지금 제 마음은 기쁨으로 넘쳐납니다. 제게 복수의 기쁨을 맛보지 못하게 하려고 무슨 말씀을 하셔도 소용 없습니다. 더 이상 주저할 것 없이 일을 해치우겠어요. 마침 저를 기쁘게 해줄 분이 오시는군요.

제 5 장

오르공, 다미스, 타르튀프, 엘미르

다 미 스　아버지, 깜짝 놀라실 일이 있으니 기대하십시오. 아버지의 그 모든 호의가 보답받은 셈입니다. 이분이 아버지의 친절에 훌륭한 보답을 하신 겁니다. 아버지에 대한 이분의 크나큰 애정이 이제 막 드러난 것이지요. 아버지를 욕되게 하고 만 겁니다. 이자가 여기서 뻔뻔스럽게도 어머니께 불륜의 연정을 고백하다가 제게 덜미를 잡혔습니다. 어머니께서는 마음이 고우시고 조심성이 많으셔서 이 일을 비밀로 덮어두려 하셨습니다만, 저는 이런 파렴치한 일을 그냥 보아넘길 수가 없었습니다. 그걸 숨긴다는 건 아버지를 모욕하는 거라고 생각했습니다.

엘 미 르　네, 저는 이런 말도 안 되는 일로 남편의 마음을 뒤흔들어 놓아서는 안 된다고 생각하고, 그까짓 일에 명예가 걸려 있다고도 생각지 않습니다. 그저 스스로를 지킬 줄 알면 되는 것이라고 생각하지요. 제 감정은 그렇습니다. 다미스, 내가 네게 신망이 있었더라면 네가 이런 말을 하지는 않았을 텐데.

제 6 장

오르공, 다미스, 타르튀프

오 르 공　오 하나님! 방금 제가 들은 소리를 믿어야 하는 거란 말입니까?

타르튀프 그렇습니다, 형제여! 저는 악인이고, 죄인입니다. 부정투성이의 불행한 죄인이며, 이 세상에 둘도 없는 대악인입니다. 제 생의 매순간이 오점으로 그득합니다. 제 생은 죄악과 추잡함 덩어리에 불과합니다. 하늘이 저를 벌하기 위해 이 기회에 고행을 내리신다는 걸 전 압니다. 아무리 큰 벌을 내리신다 해도 감히 그걸 피할 생각은 없습니다. 들으신 바를 믿으시고, 노여움을 배가하셔서 죄인인 저를 집에서 내쫓으십시오. 저는 그런 치욕을 받아 마땅하며, 그 이상도 받아 마땅합니다.

오 르 공 (아들에게) 이 비겁한 놈! 그런 엉터리 같은 소리로 감히 이분의 결백함을 손상시키려 드느냐?

다 미 스 뭐라구요? 이 위선자의 거짓된 감언에 속아 제 말을 부인하신단 말입니까…?

오 르 공 시끄럽다, 못된 자식 같으니.

타르튀프 아! 말하게 내버려두세요. 그를 나무라는 건 잘못하시는 겁니다. 그가 하는 말을 믿는 게 나을 겁니다. 그런 일로 왜 제 편을 드시는 겁니까? 어찌되었건 제가 무슨 일을 저지를지 어떻게 아십니까? 형제여, 저의 겉모양을 믿으십니까? 이 모든 걸 보고도 절 괜찮은 사람으로 여기시는 겁니까? 아닙니다. 당신은 외관에 속고 계십니다. 불행히도 저는 사람들이 생각하는 그런 인간이 못됩니다. 모두가 절 좋은 사람으로 여기지만, 진정한 사실은 제가 아무런 가치도 없는 사람이라는 것입니다. (다미스에게) 그래요, 친애하는 아드님, 말하시오. 날 부덕하고, 비열하고, 미친 놈으로, 도둑에다 살인자로 취급하시오. 그보다 더 저주받은 이름들을 내게 퍼부으시오. 난 반박하지 않겠소. 그걸 받아 마땅하니까. 내 생의 모든 죄악들에 마땅한 그 불명예를 무릎 꿇고 받아들이겠소.

오 르 공　(타르튀프에게) 형제여, 지나친 말씀입니다. (아들에게) 못된 녀석, 그래도 수그러들지 못해?

다 미 스　뭐라구요? 그자의 말에 그토록 속으시다니오.

오 르 공　시끄럽다, 나쁜 녀석! (타르튀프에게) 형제여, 일어나시오. 제발! (아들에게) 비열한 놈!

다 미 스　그자는…….

오 르 공　시끄럽다.

다 미 스　미치겠네! 어떡하지? 그렇다면…….

오 르 공　한 마디만 더하면 팔을 분질러 놓고 말겠다.

타르튀프　형제여, 하나님의 이름으로, 화를 내지 마시오. 아드님이 저로 인해 조금이라도 상처를 입느니, 차라리 아무리 극심한 고통일지라도 제가 받겠습니다.

오 르 공　(아들에게) 배은망덕한 놈!

타르튀프　그를 내버려두십시오. 필요하다면 제가 두 무릎을 꿇고 용서를 빌겠습니다…….

오 르 공　(타르튀프에게) 제발! 그러지 마십시오. (아들에게) 이 놈아! 얼마나 선한 분인지 좀 보거라.

다 미 스　그러니까…….

오 르 공　조용히 못해.

다 미 스　뭘요? 저는…….

오 르 공　시끄럽다고 했다. 네가 어떤 이유에서 이분을 공격하는지 내가 잘 안다. 너희들 모두는 이분을 미워하고 있어. 아내며 자식들 · 하인들까지 이분에 맞서서 날뛴다는 걸 내 오늘에사 알았다. 이 신앙 깊은 분을 내 집에서 몰아내기 위해 뻔뻔스럽게도 온갖 수단을 다 동원하고 있구나. 그렇지만 너희들이 이분을 쫓아내려고 노력하면 할수록 나는 이분을 붙들려고 애쓸 것이다. 그리고 온 가족의 오만한 콧대를 꺾어 놓기 위해서라도 서둘러 내 딸을 이분께 드릴 것이야.

다 미 스　그 애한테 강제로 저 작자를 받아들이게 한단 말입니까?

오 르 공　그렇다, 이 비열한 놈아! 너희들을 화나게 하기 위해서 그것도 오늘 당장에 말이다. 너희들 모두를 상대로 해서 이 집의 주인은 나라는 것과, 내게 복종해야 한다는 것을 알려 주지. 그러니 당장 고분고분히 이분 발 아래 엎드려 용서를 빌어.

다 미 스　누가요, 제가요? 이 사기꾼 같은 불한당에게…….

오 르 공　어허, 그래도! 내게 반항하고, 이분한테 욕설을 해? 몽둥이 가져와! 몽둥이! (타르튀프에게) 말리지 마십시오. (아들에게) 당장 내 집에서 나가, 그리고 다시는 이 집에 들어올 생각 마!

다 미 스　네, 나가지요. 그렇지만…….

오 르 공　얼른 꺼져. 불한당 같은 녀석, 이제 네 놈의 상속권은 없어. 내 저주나 실컷 주마.

제 7 장

오르공, 타르튀프

오 르 공 성인 같으신 분을 저처럼 욕보이다니!

타르튀프 오 하나님, 그가 제게 준 고통을 용서하소서! (오르공에게) 형제 같은 당신에게 저를 나쁘게 말하는 걸 보고 얼마나 괴로웠는지 모릅니다…….

오 르 공 저런!

타르튀프 그 배은망덕한 행동을 떠올리기만 해도 제 영혼은 견딜 수 없는 고통을 받습니다……. 생각하면 끔찍하고…… 가슴이 답답해져 말이 안 나오고, 죽을 것만 같습니다.

오 르 공 (눈물을 흘리며 아들을 쫓아낸 문 쪽으로 달려간다.) 나쁜 자식! 내 손으로 후려쳐 그 자리에서 뻗게 하지 않고 봐준 게 후회스럽구나. 형제여, 기운을 내시고 화를 삭이시지요.

타르튀프 관둡시다. 이 기분 나쁜 이야길랑 그만둡시다. 제가 이 집에 얼마나 큰 분쟁을 가져왔는지 알겠습니다. 제가 이 집을 나가야 할 것 같습니다.

오 르 공 뭐라구요? 농담이시겠지요?

타르튀프 모두들 저를 미워하고, 당신이 저의 믿음을 의심케 하려고 애를 쓰고 있으니 말입니다.

오 르 공 무슨 상관이랍니까? 내 마음이 그들 말을 듣는 것 같습니까?

타르튀프 아마 계속해서 그럴 겁니다. 지금은 물리치셨지만, 그와 같은 고자질이 다음번에는 먹힐지도 모르지 않습니까.

오 르 공　아닙니다, 절대로 그럴 리가 없습니다.

타르튀프　아, 형제여! 여자란 남편의 마음을 쉽사리 사로잡을 수 있는 법입니다.

오 르 공　아니오, 아닙니다.

타르튀프　어서 저를 여기서 나가도록 해주십시오. 그러면 저들이 이렇게 저를 공격할 이유가 없어질 것 아닙니까.

오 르 공　안 됩니다, 계셔야 합니다. 이건 제 생사가 걸린 문젭니다.

타르튀프　할 수 없죠! 제가 괴롭겠지만 정말로 그렇게 원하신다면…….

오 르 공　아!

타르튀프　좋습니다. 이 일에 대해서는 더 이상 말하지 맙시다. 이제 어떻게 처신해야 하는지 압니다. 명예는 상처받기 쉬운 것입니다. 당신과의 우정을 생각해서 저는 쑥덕공론과 말이 나지 않도록 조심하겠습니다. 부인을 피해 다니겠습니다. 그러면…….

오 르 공　아닙니다, 누가 뭐라 하든 아내와는 가깝게 지내 주십시오. 모두를 화나게 하는 게 내겐 가장 큰 기쁨입니다. 그러니 당신이 항시 아내와 함께 있는 모습을 사람들에게 보이십시오. 그뿐이 아닙니다. 모두를 더욱 골탕먹이기 위해서라도 당신만을 상속인으로 삼을 작정입니다. 이 길로 달려가 정당한 절차를 밟아, 내 재산 전부를 당신에게 넘기도록 하겠습니다. 사위로 선택한 선하고 정직한 친구가 아들보다, 아내보다, 부모보다도 내겐 소중하오. 내 제의를 받아

주시겠습니까?

타르튀프 모든 일이 하나님의 뜻대로 이루어지길 바랄 따름입니다.

오 르 공 청렴하시기도 하지! 얼른 서면 서류를 작성하러 갑시다. 시샘 부리는 자들은 원통해 죽으라지요!

제 4 막

제 1 장

클레앙트, 타르튀프

클레앙트 네, 모두들 온통 그 얘기뿐입니다. 제 말을 믿으세요. 이 소문의 결과는 당신에게 명예롭지 못합니다. 이 일에 대해 간단히 제 생각을 말씀드리려고 이렇게 당신을 찾았습니다. 전 사람들이 떠들어대는 것에 대해 샅샅이 밝힐 생각은 없습니다. 그 문제는 넘어가더라도, 전 일이 잘못되어 간다고 봅니다. 다미스의 행동이 잘못되었고, 당신이 부당한 비난을 받았다고 칩시다. 그렇더라도 모욕을 용서하고 복수의 욕망을 버리는 게 교인다운 행동이 아닐까요? 그 일로 인해 아들이 아버지의 집에서 쫓겨나는 걸 묵인하셔야겠습니까? 다시 한 번 솔직히 말씀드립니다만, 어른이고 아이고 그 소문에 분개하지 않는 사람이 없습니다. 제 말을 믿으시고, 모든 걸 평화롭게 처리하셔서 일을 파국으로 몰고 가지 마십시오. 당신의 분노일랑 하나님께 바치고, 아들이 아버지의 용서를 받게끔 해주십시오.

타르튀프 저런! 저도 기꺼이 그러고 싶습니다. 전 그 애에 대해 아무런 악감정도 가지고 있지 않아요. 모든 걸 용서했고, 아무것도 책망하지 않습니다. 마음으로부터 최대한 그 애를 위해 봉사하고 싶을 뿐이지요. 하지만 하나님의 뜻은 그와 같지 않습니다. 그 애가 이 집에 들어오면 제가 나가야 합니다. 도무지 비할 데 없는 그 애의 행동 후에도 우리가 교류를 한다면 그야말로 소문거리가 될 것입니다. 사람들이 당장 어떻게 생각할지 뻔합니다! 저더러 순전히 정략적이라고 비난할 것입니다. 죄책감을 느끼니까 자신을 비난하는 자에게 자비를 보이는 척하는 게 아니겠느냐고들 할 겁니다. 그 애가 두려워서 손아귀에 넣고 입을 봉하게 하려고 비위를 맞추는 게 아니냐고 말입니다.

클레앙트 그럴싸한 변명을 늘어놓으시는군요. 그런데 그 이유들은 너무도 억지스럽습니다. 하나님의 뜻까지 짊어질 거야 없지 않습니까? 하나님이 죄인을 벌하시는데 우리가 필요할 게 뭐랍니까? 벌을 내리는 일은 하나님께 맡겨두세요. 모욕을 용서하는 하나님의 가르침만을 생각하십시오. 높으신 하늘의 명령을 따르는 데 인간의 판단 같은 건 고려하지 마십시오. 그래, 사람들이 어떻게 생각할까 하는 부질없는 생각 때문에 선행을 할 영광을 놓친단 말입니까? 아닙니다, 아니에요. 언제나 하나님 가르침대로 하고, 다른 어떤 생각이 우리의 정신을 흐리지 않도록 합시다.

타르튀프 이미 말씀드렸듯이 제 마음은 벌써 그를 용서했습니다. 이야말로 하나님께서 명하신 대로 한 거지요. 하지만 오늘 같은 모욕과 파문 뒤에 제가 그와 함께 사는 걸 명하시지는 않았습니다.

클레앙트 그러면 하나님께서는 그 애의 아버지가 순전히 변덕으로 하는 소리에 귀를 기울이라 하십니까? 법적으로 아무런 권리가 없는 재산 상속을 받아들이라고 명하십니까?

타르튀프 저를 아는 사람이라면, 제가 욕심 때문에 이런다고는 생각지 않을 것입니다. 이 세상의 모든 재산도 제게는 아무런 유혹이 되지 못합니다. 그 기만적인 광채에 저는 현혹되지 않습니다. 그 아버지가 제게 주고자 하는 재산을 받아들이는 것은, 솔직히 말해 그 재산 전부가 나쁜 사람들의 손에 떨어질까 두렵고, 또 그것을 받은 사람들이 이 세상에다 나쁜 용도로 쓰고, 제가 계획하는 것처럼 하나님의 영광과 이웃의 행복을 위해 쓰지 않을 것 같아서입니다.

클레앙트 허, 그런 세심한 걱정일랑은 조금도 하지 마십시오. 그런 걱정은 정당한 상속인으로부터 항의를 유발할 수 있으니까요. 아무런 골칫거리도 떠맡지 말고, 그 애가 재산을 물려받고 그 위험을 부담하도록 허용하십시오. 재산을 가로챘다는 비난을 받는 것보다야 그 애가 마음대로 처분하도록 내버려두는 게 낫지 않습니까. 당신이 당혹해하지 않고 그 제의를 받아들이는 데 무척 놀랐습니다. 참된 신앙에는 정당한 상속인의 재산을 박탈하라는 방침이라도 있는 것입니까? 그리고 당신 마음속의 하나님이 절대로 다미스와 함께 살지 못하도록 가로막는다면, 이렇게 이 집 자식이 당신 때문에 쫓겨나는 걸 염치없이 보고 있느니, 분별 있는 사람으로서 당신이 점잖게 이 집을 나가는 게 낫지 않겠습니까? 당신의 청렴함을 보여 줄 겸 말입니다…….

타르튀프 3시 30분이로군요. 경건한 의무를 드려야 하니, 죄송하지만 이만 실례하겠습니다.

클레앙트 아!

제 2 장

엘미르, 마리안느, 도린느, 클레앙트

도 린 느 부탁입니다, 저희와 함께 아가씨를 위해 힘써 주십시오. 아가씨는 너무도 괴로워하고 계세요. 아버님이 오늘 저녁으로 결정하신 약혼 때문에 절망하고 계세요. 곧 아버님이 오실 거예요. 힘을 합쳐 우리 모두를 괴롭히는 이 불행한 계획을 힘으로든 계략으로든 무산시키도록 해주세요.

제 3 장

오르공, 엘미르, 마리안느, 클레앙트, 도린느

오 르 공 아! 모두들 모여 있으니 마침 잘됐군. (마리안느에게) 이 약정서에는 네가 좋아할 내용이 들어 있단다. 무슨 뜻인지 벌써 알고 있겠지.

마리안느 (무릎을 꿇고) 아버지, 제 괴로움을 알고 계신 하나님의 이름과 아버지의 마음을 움직일 수 있을 그 모든 것을 걸고 드리는 말씀이오니, 어버이의 권리를 조금 느슨히 푸시고, 제 사랑만큼은 그 복종에서 면하게 해주십시오. 너무도 엄격한 규율로 인해 제가 아버지께 해야 할 도리에 대해 하늘에 불평하지 않도록 해주십시오. 아버지께 받은 이 목숨을 불행한 것으로 만들지 말아 주세요. 제가 품은 달콤한 희망과는 반대로, 아버지께서는 제가 감히 용기를 내어 사랑하는 사람에게 가는 것을 막으십니다. 그럴지라도 무릎 꿇고 비오니, 적어도 제가 끔찍이 싫어하는 사람에게 가야 하는 고통으로부터 절 구해 주시고, 아버지의 권력을 휘둘러 저를 절망에 빠뜨리지 말아 주십시오.

오 르 공 (측은해하며) 저런, 마음을 굳게 먹고 인간적인 나약함을 보여서는 안 돼.

마리안느 아버지께서 그분에게 친절하게 대하시는 건 괜찮아요. 얼마든지 친절하게 대하시고, 재산도 주세요. 그게 충분치 않다면, 제 것까지 몽땅 주세요. 기꺼이 동의하니, 아버지 좋으실 대로 처분하세요. 하지만 제 몸까지는 처분하지 말아 주십시오. 차라리 엄격한 수도원으로 보내, 하늘이 제게 남긴 슬픈 나날들을 거기서 보낼 수 있도록 허락해 주십시오.

오 르 공 저런! 아버지가 사랑의 불길을 막으면 바로 그렇게 수녀가 된다고들 하지! 일어나거라! 네가 받아들이기 싫어하면 할수록 더 받아들여야 마땅한 거야. 이 결혼으로 네 욕망을 죽이도록 해. 그리고 더 이상 내 골머리를 아프게 하지 마라.

도 린 느 뭐라구요…?

오 르 공 넌 입 닥치고, 남의 일에 끼어들지 마라. 한 마디라도 하기만 해봐라.

클레앙트 이런 충고를 해도 된다면…….

오 르 공 처남, 처남의 충고는 세상에서 가장 훌륭하지요. 늘 이치에 맞아 저도 존중합니다. 하지만 제가 그 충고를 따르지 않는다 해도 양해하십시오.

엘 미 르 (남편에게) 일이 돌아가는 걸 보고 있자니 더 이상 뭐라 할 말이 없군요. 당신이 맹목적인 데는 정말 감탄스러워요. 오늘 있었던 일을 부정하시다니, 정말 그자에게 홀딱 빠져서 눈에 뭐가 단단히 씌었군요.

오 르 공 암 그렇고말고, 난 외양을 믿지. 당신이 그 놈팽이 같은 아들을 얼마나 싸고도는지 나도 잘 알아. 당신은 그놈이 그 가엾은 분에게 나쁜 짓을 꾸미려 했던 걸 고백하기가 두려웠던 거지. 그렇게 믿기에는 당신이 너무 태연했어. 그게 사실이었더라면 아마도 당신이 흥분해 있었겠지.

엘 미 르 단순히 사랑의 고백을 들은 것만으로도 명예가 훼손된 것처럼 떠들어대야 한단 말인가요? 그럴 때마다 눈에 불을 켜고 입에는 욕설을 담아 대응해야 한단 말예요? 저는 그런 일쯤은 그저 웃어넘기고 말아요. 그렇게 소란을 떠는 건 싫다구요. 부드럽게 정숙한 여자라는 걸 보여 주는 편이 나아요. 전 손톱과 이빨로 무장하고서 한 마디라도 하면 할퀴려 드는 억센 열녀가 못됩니다. 그런 정숙은 정말이지 끔찍해요! 사납지 않은 정숙함이 전 좋아요. 조용히 냉정하게 거절하는 방법도 사랑을 거절하는 데 그 힘이 약한 건 아니에요.

오르공 어쨌든 난 일이 어떻게 된 건지 알고 있고, 생각을 바꿀 마음이 없소.

엘미르 이렇게 답답하신 데는 다시 한 번 감탄합니다. 그런데 다미스가 한 말이 사실이라는 걸 보여 드린다면 의심 많은 당신은 뭐라고 하실 거지요?

오르공 보여 준다고?

엘미르 그래요.

오르공 말도 안 되는 소리.

엘미르 뭐라고 하실 거냐구요? 명백하게 보여 드린다면요?

오르공 터무니없는 소리겠지.

엘미르 답답한 양반! 대답이나 해보세요. 우리를 믿어 달라는 게 아니에요. 당신에게 모든 걸 분명히 보여 드리고 들려 드린다고 가정해 보세요. 그러면 당신의 그 성인에 대해 뭐라고 하실 거냐구요?

오르공 그런 경우, 그러니까…… 아무 말도 하지 않겠소. 그런 일은 있을 수 없을 테니까.

엘미르 오해가 너무 오래 지속되는 것 같군요. 그리고 제 말을 중상모략으로 모는 것도 너무하구요. 더 이상 지체 없이 사람들이 말하는 것을 증명해 보여야겠어요.

오르공 좋아, 당신 말을 믿기로 하지. 당신이 어떻게 이 약속을 지키는지 솜씨를 보도록 하지.

엘미르 그를 이리로 오도록 하거라.

도린느 아주 약삭빠른 자라서 꼬리를 잡기가 쉽지 않을 거예요.

엘 미 르　아니야, 사랑하는 사람한테는 쉽게 속는 법이야. 그리고 자존심이 강한 사람이라 스스로 속아 넘어갈 거야. 그에게 아래층으로 내려오시라고 해. (클레앙트와 마리안느에게) 나가들 있어요.

제 4 장

엘미르, 오르공

엘 미 르　이 탁자를 가져와서 그 밑에 숨으세요.

오 르 공　뭐라구?

엘 미 르　꼭 숨어 계셔야 해요.

오 르 공　하필이면 왜 이 탁자 밑이오?

엘 미 르　제발, 제게 맡기세요. 제게 다 생각이 있으니까, 두고 보세요. 여기에 숨으라니까요. 거기서 보이지도 말고, 소리도 내지 않도록 주의하세요.

오 르 공　이렇게 되면 내가 당신 말을 지나치게 따르는 것 같지만, 여하튼 당신 계획이 어떻게 되나 지켜봅시다.

엘 미 르　불평하실 게 전혀 없을걸요. (탁자 밑에 숨은 남편에게) 이제부터 제가 이상한 행동을 할 텐데 절대로 화내지 마세요. 제가 무슨 말을 하더라도 용서하셔야 해요. 약속한 대로 당신에게 확인시켜 드리기 위한 거니까요. 이제 별수없으니 달콤한 말로 위선자의 가면을 벗기고, 그의 사랑에 뻔뻔한 욕망을 부채질해서 경솔한 행동을 하도록 만들 거예요. 제가 그자가 바라는 대로 응하는 척하는 건 오로지 당신을 위해서이고, 그자를 꼼짝 못하게 하기 위한 것이랍니다. 당신이 인정하는 대로 곧 전 연극을 그만두겠어요. 그러니 사태가 어디까지 가느냐는 당신한테 달렸어요. 이제 됐다 싶을 때, 그자의 당치않은 열정을 멈추게 하는 건 당신이 할 일이에요. 당신이 망상에서 깨어나는 데 필요한 만큼이면 되니, 그 이상으로 절 내버려두지 마세요. 이 모두가 당신의 이해 관계가 걸린 문제이니 당신이 알아서 하세요. 아, 오는군요. 가만히 숨어 계세요.

제 5 장

타르튀프, 엘미르, 오르공

타르튀프 여기서 제게 하실 말씀이 있으시다고요?

엘 미 르 그래요. 당신께 털어놓을 비밀이 있답니다. 하지만 말씀드리기 전에 그 문을 닫아 주세요. 누가 엿들을까 두려우니 사방을 잘 살펴 주세요. 아까와 같은 일이 또다시 있어서는 안 되니까요. 그렇게 놀란 적은 처음이에요. 다미스 때문에 당신 걱정을 얼마나 했는지 몰라요. 제가 그 애의 계획을 막고 진정시키려고 애쓰는 걸 보셨지요? 당황한 탓에 그 애의 말을 부정할 생각조차 못했어요. 그렇지만 하나님의 은총으로 모든 게 다 잘되어 이제 전보다 한결 안전하게 되었어요. 당신에 대한 좋은 평판이 폭풍을 가라앉혔고, 제 남편은 당신에게 의심조차 품지 않아요. 나쁜 소문이 퍼지는 데 떳떳이 맞서기 위해서라도 우리가 항시 함께 있기를 바라지요. 그래서 비난받을 걱정 없이 이렇게 당신과 단둘이 있을 수 있는 거랍니다. 그리고 당신께 제 마음을 열어 보일 수도 있구요. 당신의 열정을 받아들이는 게 너무 빠른 건지도 모르지만요.

타르튀프 그 말씀은 이해하기가 힘듭니다, 부인. 조금 전에는 다른 어조로 말씀하시지 않으셨습니까.

엘 미 르 아! 아까 거절한 것에 대해 화가 나셨다면, 여자의 마음을 너무도 모르시는군요! 그처럼 약하게 저항할 때 여자의 마음이 어떠하리라는 걸 당신은 너무도 모르시는군요! 여자들은 수줍음 때문에 남자들이 바치는 애정을 언제나 거부하지요. 자신을 사로잡는 사랑에 어떤 구실을 부여할지라도 그걸 고백하는 건 언제나 부끄러운 법이랍니다. 그래서 우선 거절하고 보는 거지요. 하지만 그럴 때 보이는 외양은 우리의 마음이 굴복했다는 걸 알려 주고, 체면 때문에 마음과는 상반되는 말을 하며, 그런 거절이 사실은 모든 것을 약속하는 것임을 알려 주는 거랍니다. 당신께 이렇듯 털어놓고 고백하다니, 여자로서의 수줍음을 너무 개의치 않는 것 같군요. 하지만 기왕 말을 꺼냈으니 말씀드리죠. 당신의 사랑의 고백이 제게 기쁨을 주지 않았다면, 제가 그처럼 다미스를 말리려 했을까요? 당신의 사랑의 고백을 그처럼 감미롭게 들었을까요? 아까 보신 것과 같은 태도를 취했을까요? 그리고 그 혼담을 거절하도록 당신께 부탁드렸을 때, 그 간청을 어떻게 알아들으셨나요? 당신의 관심을 차지하려는 마음과, 혼담이 이루어지면 제가 독점하길 원하는 당신의 마음을 나누어 가져야 한다는 괴로움을 알아 달라는 것이 아니었을까요?

타르튀프 사랑하는 사람으로부터 이런 말을 듣는 건 분명 더할나위없이 감미롭습니다, 부인. 그 달콤함은 난생 처음 맛보는 그윽한 향을 제 오관에 흐르게 합니다. 부인 마음에 들고자 하는 건 제가 무엇보다 추구해 온 행복입니다. 부인의 마음을 알고 제 마음은 무상의 기쁨을 느낍니다. 그러나 여기서 제 마음은 감히 이 행복을 의심해 보게 됩니다. 이 말들은 준비중인 결혼을 무산시키려는 책략으로 생각될 수도 있으니까요. 그러니 터놓고 말씀드리자면, 제가 갈망하는 부인의 애정 표현이 어느 정도 그 말씀들을 확인시켜 주고, 저를 향한 부인의 매혹적인 호감에 대한 믿음을 제 마음에 심어 주지 않는 한 그 달콤한 말들을 전 믿지 않을 것입니다.

엘 미 르 (남편에게 신호를 보내기 위해 기침을 한다.) 네에? 그렇게 서둘러서 애정을 바닥내시려구요? 당신께 그처럼 달콤한 고백을 하는 것만으로도 얼마나 힘이 들었는데, 그래도 충분치 않아 마지막 애정 표현까지 보여 드려야 만족하시겠다구요?

타르튀프 행복할 자격이 없는 자는 감히 바라지도 않는 법입니다. 말뿐인 연모(戀慕)는 확신하기 힘들지요. 영광으로 그득한 운명도 쉽사리 의심을 받습니다. 그래서 믿기에 앞서 그걸 누리려고 하는 거지요. 부인의 호의를 받을 가치가 없다고 생각하는 저로서는 제 무모한 행동이 가져온 행복을 의심하지 않을 수 없습니다. 부인께서 구체적으로 제 불타는 마음을 납득시키기 전에는 아무것도 믿지 않겠습니다.

엘 미 르 어머나, 당신의 사랑은 폭군과도 같군요. 제 마음을 뒤숭숭하게 흔들어 놓으시니! 남의 마음에 성난 제국처럼 군림해서 원하는 것을 폭력으로 가지려 드시니! 당신의 추격에 몸을 피할 수가 없어요. 숨 돌릴 틈도 주지 않으시는 건가요? 그처럼 엄격함을 지키시면서 원하는 걸 가차없이 달라시다니오? 당신에게 보이는 약점을 이용해서 집요하게 구하시다니오?

타르튀프 그런데 제 경의를 호의적인 눈으로 보신다면, 왜 확실한 증거를 보이지 않으려는 것입니까?

엘 미 르 그렇지만 당신이 언제나 말씀하시는 하나님을 거역하지 않으면서, 어떻게 당신이 원하는 것에 동의할 수 있겠어요?

타르튀프 제 연정을 가로막는 것이 하나님뿐이라면, 그런 장애물을 거두는 건 제게 아무것도 아닙니다. 그런 데 마음 안 쓰셔도 됩니다.

엘 미 르 하지만 하늘의 심판이 전 너무도 두려워요!

타르튀프 그런 터무니없는 공포일랑은 제가 덜어 드릴 수 있습니다. 부인, 양심의 가책을 없애는 기술을 전 알고 있지요. 하나님이 어떤 종류의 쾌락을 금하는 건 사실입니다. 하지만 다 타협하는 수가 있지요. 필요에 따라 양심의 사슬을 늦추고, 나쁜 행위를 순수한 의도로 수정하는 기술이지요. 그 비밀을 부인께 가르쳐 드리겠습니다. 그저 제가 하라는 대로만 하시면 됩니다. 제 욕망을 이루게 해주시고, 조금도 두려워 하지 마세요. 제가 모든 걸 책임지겠습니다. 기침이 심하시군요, 부인.

엘 미 르 네, 괴로워요.

타르튀프 감초즙 좀 드시겠습니까?

엘 미 르 독감인가 봐요. 어떤 즙을 먹어도 나을 것 같지 않아요.

타르튀프 참으로 유감스럽습니다.

엘 미 르 네, 말로 다할 수 없을 정도죠.

타르튀프 그러니까 양심의 가책을 없애는 건 쉬운 일입니다. 여기서 부인은 완전히 비밀이 보장되어 있습니다. 나쁜 짓은 떠들어댈 때만이 나쁜 짓이 되는 겁니다. 세상 사람들이 떠들어대면 죄가 되는 것이지, 조용히 짓는 것은 죄가 되지 않지요.

엘 미 르 (다시 한 번 기침을 한 후) 이제 당신의 말을 따라 모든 걸 허용할 때가 된 것 같군요. 그러지 않으면 만족하거나 인정하시지 않을 테니까요. 여기까지 오게 된 게 유감스럽지만, 이 선을 넘어서는 건 제가 바라는 바가 아닙니다. 하지만 저로 하여금 이렇게까지 하지 않을 수 없게 만들고, 말로 하는 건 조금도 믿지 못하신다니, 또 좀더 확실한 증거를 원하시니 어쩔 수 없군요. 만족시켜 드릴 수밖에요. 제가 이렇게 허락하는 것이 죄가 된다면 저로 하여금 이렇게 하도록 만드는 사람에게 안된 일이지, 제 잘못은 분명 아닙니다.

타르튀프 그렇습니다, 부인. 제가 책임집니다. 자연히…….

엘 미 르 문을 열고 복도에 남편이 없는지 살펴봐 주세요.

타르튀프 그에게 신경 쓸 필요가 뭐 있습니까? 우리끼리 얘기지만 그는 마음대로 쥐고 흔들 수 있는 인간입니다. 우리의 만남을 아마도 영광으로 생각할 겁니다. 게다가 그가 뭘 보더라도 아무것도 믿지 않게끔 조처해 놓았지요.

엘 미 르 아무려면 어때요. 그러니 잠시 나가서 바깥을 여기저기 살펴봐 주세요.

제 6 장

오르공, 엘미르

오 르 공 (탁자 밑에서 나오며) 이럴 수가, 가증스런 인간이야! 하도 기가 막혀서 정신을 차릴 수가 없군.

엘 미 르 뭐라구요? 이렇게 빨리 나오세요? 놀리시는 거예요? 탁자 밑으로 들어가세요. 아직 때가 아니에요. 확실한 걸 볼 때까지 기다리세요. 단순한 추측을 믿으시면 안 되지요.

오 르 공 아냐, 저보다 더한 악질은 지옥에도 없을 거야.

엘 미 르 저런! 너무 경솔하게 믿으시면 안 되지요. 인정하시기 전에 확신을 갖도록 기다리세요. 조금도 서두르지 마세요. 잘못 생각할지도 모르니까요.

(그녀는 남편을 자기 뒤에 숨긴다.)

제 7 장

타르튀프, 엘미르, 오르공

타르튀프 모든 게 제가 바라는 대로입니다, 부인. 집안을 샅샅이 살폈는데 아무도 없었습니다. 제 마음은 황홀…….

오 르 공 (그를 막아서며) 잠깐! 당신은 색정에 사로잡혔어. 그처럼 흥분해서는 안 되지. 하! 내게 성인인 양 굴려 했었지! 유혹에 그처럼 영혼을 내팽개치면서! 내 딸과 결혼하고, 내 아내를 넘봐! 한참 전부터 정말 그럴까 의심했고, 어조가 달라지겠지 생각했지. 그러나 이만하면 증거가 충분해. 더 이상은 필요 없어.

엘 미 르 (타르튀프에게) 제가 한 이 모든 행동은 마음에 없는 것이었어요. 당신을 이렇게 다루지 않을 수 없었죠.

타르튀프 뭐라구요? 설마…?

오 르 공 자, 여러 말 말고, 조용히 이 집에서 나가 주시오.

타르튀프 제 의도는…….

오 르 공 더 이상 그런 넋두리는 통하지 않아. 당장 나가시오.

타르튀프 나가야 할 사람은 당신이야. 주인인 양 말하는 당신 말이오. 이 집은 내 소유야. 그걸 알게 해주지. 이런 비겁한 수단을 써서 내게 싸움을 걸어왔지만 소용없다는 걸 똑똑히 보여 주지. 나를 모욕하려 했지만 그렇게 되지는 않지. 그런 협잡을 꺾어 놓고 벌할 방법이 내게 다 있지. 하늘을 욕되게 한 복수를 하고, 여기서 날더러 나가라고 한 자들을 뉘우치게 해 주지.

제 8 장

엘미르, 오르공

엘 미 르　대체 무슨 소리죠? 지금 저자가 하는 말이 무슨 뜻이에요?

오 르 공　저런 큰일났는데, 웃을 때가 아니야.

엘 미 르　왜요?

오 르 공　저자 말을 듣고 보니 내가 잘못한 게 있어. 재산 상속이 문제야.

엘 미 르　재산 상속…….

오 르 공　그래, 이미 끝난 일이야. 그것말고도 걱정되는 게 또 있어.

엘 미 르　뭔데요?

오 르 공　곧 알게 될 거요. 그보다 얼른 그 상자가 위에 아직도 있는지 가봅시다.

제 5 막

제 1 장

오르공, 클레앙트

클레앙트 어디를 그렇게 달려가는가?

오 르 공 아이고! 낸들 어떻게 알아요?

클레앙트 이 사건을 어떻게 해결해야 할지를 상의하는 것이 우선인 것 같네.

오 르 공 그 상자 때문에 어찌할 바를 모르겠습니다. 무엇보다 그게 걱정입니다.

클레앙트 그러니까 그 상자가 무슨 중요한 비밀이라도 된단 말인가?

오 르 공 그 가련한 친구 아르가스가 내게 비밀이라며 맡긴 것입니다. 달아나면서 그가 믿고 맡길 사람으로 날 선택한 겁니다. 자기 목숨과 재산이 걸려 있는 중요한 서류라고 하면서요.

클레앙트 그런데 왜 그걸 다른 사람 손에 맡겼는가?

오 르 공 양심의 가책 때문이지요. 그 배신자에게 곧장 달려가 털어놓았죠. 상자를 자기에게 맡기라는 그자의 말이 맞는 것 같아 주었지요. 가택수색이라도 있을 경우, 가지고 있지 않다고 부인할 구실도 되고, 사실과 다른 서약을 하는 데 대한 양심의 가책을 받지 않아도 되니까요.

클레앙트 보아하니 아무래도 일이 잘못되어 가는 것 같네. 내 생각을 솔직히 말하자면, 재산 상속에다 그런 비밀까지 털어놓았으니 자네가 경솔했던 것 같군. 그런 약점을 잡고 어디까지 자넬 물고늘어질지 몰라. 게다가 그런 유리한 입장에 있는 그자를 몰아붙인 건 더더욱 경솔했어. 좀더 부드러운 방법을 찾았어야 하는 건데 말일세.

오르공 뭐라구요? 그처럼 신앙에 찬 감동어린 얼굴을 하고, 그처럼 이중적인 마음과 그처럼 사악한 영혼을 가졌을 줄이야 어떻게 알았겠어요! 한푼 없이 구걸하는 자를 맞아들였는데…… 이젠 성인이라면 거절하겠어. 이젠 성인이란 말만 들어도 끔찍해. 내 그자들한테는 악마보다 더 나쁜 인간이 되고 말 거야.

클레앙트 저런! 그렇게 또 흥분하면 어떡하나! 자넨 무슨 일이건 침착할 줄을 몰라. 냉철하게 따져 생각할 줄을 모르고 언제나 극에서 극으로 달려가는군. 자네 잘못을 깨달았고 거짓 신앙에 속았다는 걸 알았다고 해서, 그 잘못을 고치자고 더 큰 잘못을 저지르면 되겠는가? 한 사람의 나쁜 불한당의 마음과 많은 선인들의 마음을 혼동해서 되겠는가 말일세? 그래, 한 사람의 악인이 근엄한 신앙으로 치장해서 대담하게도 자넬 속였다고, 모든 사람이 그자와 같고 오늘날엔 진짜 신자라곤 한 사람도 없다고 생각하는가? 그런 어리석은 결론일랑 무신론자들에게 넘기게. 덕과 겉모습을 구별하고, 너무 서둘러 판단을 하지 않도록 하게. 그러려면 중용을 지켜야 하네. 사기에 걸리지 않도록 조심해야 하지만, 그렇다고 진정한 신앙을 모욕해서도 안 된다네. 한쪽 극단을 택해야 한다면, 차라리 사기에 걸리는 편이 나을 걸세.

제 2 장

다미스, 오르공, 클레앙트

다 미 스 어떻게 된 겁니까, 아버지? 그 악한이 아버지를 협박한다는 게 사실입니까? 그 비열한 인간이 아무리 잘해 줘도 몰라라 하더니, 그래 아버지의 은혜를 원수로 갚으려 든답니까?

오 르 공 그래, 아들아. 그 때문에 너무도 괴롭구나.

다 미 스 제게 맡기세요. 제가 그자의 두 귀를 잘라 버리겠어요. 그자의 뻔뻔함에는 원만한 해결 방법이 없어요. 제가 단박에 골칫거리를 덜어 드리겠습니다. 사건을 해결하려면 그자를 때려눕혀야 합니다.

클레앙트 참으로 젊은이다운 말이군. 하지만 흥분을 가라앉히거라. 우리는 왕의 통치하에 있고, 폭력을 휘둘러서는 일을 해결하지 못하는 시대에 살고 있단다.

제 3 장

페르넬르 부인, 마리안느, 엘미르, 도린느, 다미스, 오르공, 클레앙트 페르넬르 부인 무슨 일이냐? 어떻게 된 건지 모를 끔찍한 소릴 들었는데.

오 르 공 그 끔찍한 일을 제 눈으로 보았답니다. 제 호의가 어떻게 보답받았는지는 보시는 바와 같습니다. 어려운 자를 성심껏 받아들여 재워 주고, 친형제처럼 여겼지요. 매일같이 보살핀데다 딸도 주고 재산까지 주었어요. 그런데 그 비열한 불한당은 그 사이 제 아내를 유혹할 흉측한 수작을 부리고, 그 비열한 짓으로도 부족해 제 친절을 이용하여 절 협박하고, 경솔한 제 호의를 역이용해 유리한 입장에서 저를 파산시키려 합니다. 양도해 준 재산을 제게서 박탈하고, 제가 그자를 구해 주었던 그 처지에 저를 빠뜨리려 하는 것입니다.

도 린 느 저런 가련하셔라!

페르넬르 부인 아들아, 도무지 믿을 수가 없구나. 그분이 그런 흉측한 짓을 하려 했다니.

오 르 공 뭐라구요?

페르넬르 부인 덕망 높은 분들은 언제나 시기를 받는 법이야.

오 르 공 어머니, 도대체 무슨 얘기를 하시려는 겁니까?

페르넬르 부인 이 집에 사는 사람들은 전부 이상해. 모두들 그분을 증오하니 말이다.

오 르 공 제가 어머니께 드린 말씀이 그 증오와 무슨 관계가 있답니까?

페르넬르 부인 네가 어렸을 때 내가 골백번도 더 말하지 않았느냐. 덕망 있는 분은 언제나 들볶인다고 말이다. 시기를 하는 자들은 죽어도 그 시기는 사라지는 법이 없다고.

오르공 그런데 그 말씀이 오늘 일과 무슨 상관이 있습니까?

페르넬르 부인 사람들이 너한테 그분에 대한 오만 가지 이야기를 꾸며댔을 거란 말이다.

오르공 제 눈으로 모든 걸 보았다고 하지 않았습니까.

페르넬르 부인 남을 헐뜯는 자들이 얼마나 교활한데.

오르공 정말 미치겠네. 그 파렴치한 죄악을 제 눈으로 똑똑히 보았다고 하지 않습니까.

페르넬르 부인 말이란 언제나 독을 퍼뜨리는 법이야. 이 세상에 그걸 막을 수 있는 건 없어.

오르공 그런 말도 안 되는 소리가 어디 있습니까. 제가 보았다고 하지 않습니까, 제 두 눈으로 직접 말입니다. 보았다면 본 거예요. 귀에다 대고 골백번 떠들어야 합니까, 목청껏 외쳐야 한답니까?

페르넬르 부인 거참, 흔히 겉보기와는 다른 거야. 본 것만 가지고 판단해서는 안 돼.

오르공 미치겠네.

페르넬르 부인 인간의 본성은 흔히 잘못된 의심에 빠진단다. 선이 종종 악으로 오해받기도 하지.

오르공 아내를 포옹하려는 걸 자비심으로 해석해야 합니까?

페르넬르 부인 사람을 비난하려면 그만한 이유가 있어야 해. 확실한 걸 볼 때까지 기다렸어야지.

오르공 기가 막혀서! 더 확실한 방법이 어딨어요? 그럼 어머니, 제가 더 기다려야 했단 말입니까? 그자가 내 눈앞에서…… 무례한 표현까지 나오게 하시는군요.

페르넬르 부인 어쨌거나 그분의 영혼은 너무도 순수한 신앙으로 가득 차 있단다. 나는 그분이 그와 같은 짓을 하려 했다는 걸 도무지 상상조차 할 수 없구나.

오 르 공 어머니가 아니라면 화가 나서 무슨 말을 하게 될지 모르겠군요.

도 린 느 이 세상의 일은 돌고도는 법입니다, 주인어른. 도무지 우리 말을 믿으려 하지 않으시더니, 이제 주인어른 말씀이 먹히질 않네요.

클레앙트 쓸데없는 말로 시간 낭비하고 있을 때가 아니네. 대책을 강구해야만 해. 그 음흉한 자가 협박하는데 가만히 있어서는 안 되지.

다 미 스 뭐라구요? 그자가 그렇게까지 뻔뻔하답니까?

엘 미 르 전 그런 소송이 가능하지 않다고 봅니다. 그자의 배은망덕한 행위가 너무도 훤히 드러나 보이는걸요.

클레앙트 그걸 너무 믿지 마. 그자는 모두에 맞서 싸우기 위해 책략을 꾸밀 거야. 음모에 걸려들면 빠져 나오기 힘든 미궁에 떨어지게 될 거야. 다시 한 번 말하지만, 그렇듯 유리한 입장에 있는 그자를 그렇게까지 몰아붙이지 말았어야 했어.

오 르 공 그건 맞는 말이지만, 어떡합니까? 그 배신자의 교만한 꼴을 도무지 참지 못하겠는걸요.

클레앙트 정말이지 난 매부와 그자가 겉으로라도 화해를 해서 매듭을 풀어 나갔으면 싶은데.

엘 미 르 그자가 그런 무기를 가진 줄 알았더라면 이런 소동을 벌이지 않았을 텐데…….

오 르 공 저 사람은 왜 왔지? 가서 알아보아라. 지금 사람 만날 때냐!

제 4 장

루아얄, 페르넬르 부인, 오르공, 다미스, 마리안느,
도린느, 엘미르, 클레앙트

루 아 얄 안녕하십니까, 주인어른을 뵙고 말씀드릴 게 있어서.

도 린 느 손님이 계셔서, 지금은 만나실 수 있을 것 같지 않은데요.

루 아 얄 제가 이렇게 온 것은 폐를 끼치려는 게 아닙니다. 주인어른께서 절 만나 주시면 기분 상하실 일은 없을 것입니다. 주인어른께서 좋아하실 일로 온 겁니다.

도 린 느 성함이 어떻게 되시죠?

루 아 얄 타르튀프 씨 부탁으로 재산건과 관련해서 왔다고만 전해 주시지요.

도 린 느 타르튀프 씨 부탁으로 어떤 상냥한 분이 찾아오셨습니다. 주인어른께서 좋아하실 일이라면서요.

클레앙트 그가 어떤 사람이며, 무슨 용건으로 왔는지 만나 보셔야지.

오 르 공 어쩌면 화해하러 왔을지도 몰라. 어떤 태도를 보여야 하죠?

클레앙트 절대로 흥분해선 안 되네. 그가 화해에 대해 말하면, 잘 들어 봐야겠지.

루 아 얄 안녕하십니까. 하나님께서 선생께 해를 끼치려는 자를 멸망케 하시고, 제가 바라는 만큼 선생께 은총을 내리시길!

오 르 공 이렇게 시작이 좋은 걸 보니 내 생각이 맞아, 화해하려는 것 같아.

루 아 얄 선생의 집안이 제게는 언제나 소중했지요. 저는 선생의 아버님을 모셨더랬습니다.

오 르 공 선생께서 누구신지도 모르고 성함도 모르니, 이거 부끄럽고 죄송스럽습니다.

루 아 얄 제 이름은 루아얄이고, 노르망디 출신으로, 바라는 바는 아니지만 집달리입니다. 하나님의 은총으로 40년 동안 명예롭게 제 일을 수행하고 있지요. 제가 이렇게 온 것은, 선생의 허락을 받아 영장을 송달하기 위해서입니다…….

오 르 공 뭐라구요? 당신은…?

루 아 얄 흥분하지 마십시오. 이건 그저 경고일 뿐입니다. 선생과 선생 가족께서는 지체 없이 가구들을 밖으로 내놓으시고, 다른 사람들이 들어올 수 있도록 이곳을 비우시라는 명령이지요…….

오 르 공 날더러 이 집에서 나가라고?

루 아 얄 그렇습니다. 잘 아시다시피 이제 이 집은 분명히 그 선량한 타르튀프 씨 소유입니다. 제가 가지고 있는 계약서에 따르면 선생의 재산도 그분이 주인이시지요. 계약서는 제대로 된 것이니 이의를 제기하실 수 없습니다.

다 미 스 너무도 뻔뻔해서 기가 막히는군.

루 아 얄 당신과는 아무런 볼일이 없습니다. 주인어른과의 일이지요. 분별 있고, 온화하고, 선량한 분이시라 의무를 잘 아실 테니 법집행을 방해하려 들지는 않으실 겁니다.

오 르 공 그렇지만…….

루 아 얄　네, 주인양반, 설령 백만금이 걸려 있다 할지라도 선생께서는 거역하실 분이 아니며, 정직한 분으로서 제가 주어진 명령을 집행하도록 허용하실 줄로 압니다.

다 미 스　집달리 선생, 당신의 그 검은 옷은 아무래도 몽둥이 세례를 받아야 할 것 같소.

루 아 얄　선생의 아드님께 입을 다물도록 하든지 나가 있도록 해주십시오, 주인양반. 그렇잖으면 유감스럽지만 제 조서에다 당신의 이름을 올리지 않을 수가 없겠군요.

도 린 느　루아얄 씨는 이름과 달리 교활한 것 같군요!

루 아 얄　전 선량한 사람들에게는 각별한 호의를 가지고 있습니다. 이 소송건을 맡은 것도 선생을 생각해서, 선생을 기쁘게 하려는 의도에서였습니다. 저처럼 선생께 호의를 갖지 않은 집달리를 고르시게 될까 봐서지요. 그런 자라면 훨씬 거친 방식으로 집행하였을 테니까요.

오 르 공　제 집에서 나가라는 것보다 더 거칠 게 어디 있단 말이오?

루 아 얄　시간을 드리지요. 내일까지 집행을 유예하겠습니다. 다만 제 사람 열 명을 데리고 와서 여기서 오늘 밤을 보낼 겁니다. 소란 피우지 않고 조용히 하겠습니다. 형식상, 주무시기 전에 문 열쇠들을 제게 주셔야겠습니다. 주무시는 데 방해가 되지 않도록 하고, 이건에 관련되지 않은 것은 건드리지 않도록 주의하겠습니다. 그러나 내일 아침엔 살림살이 일절을 이 집에서 비우도록 빈틈없이 처리해 주셔야 합니다. 제 일꾼들이 도와 드릴 겁니다. 모든 걸 밖으로 내는

데 도움이 될 수 있도록 힘센 사람들로 골라 놓았지요. 이보다 더 잘 처리할 수는 없을 것 같지 않습니까? 제가 이렇듯 선생께 관대하게 대하는 만큼 선생께서도 그렇게 해주시고, 제 직무 집행을 방해하지 말아 주시길 부탁드립니다.

오르공 이자의 낯짝에다 주먹을 힘대로 세게 한방 날릴 수만 있다면, 내게 남은 1백 루이를 당장에라도 내놓을 텐데.

클레앙트 관두게나, 일 망치지 말고.

다미스 너무도 뻔뻔스러워서 도무지 참기가 힘들어요. 주먹이 근질근질해.

도린느 루아얄 씨, 이렇게 등이 멋지니, 몽둥이 몇 대쯤 맞아도 아무렇지도 않겠네요.

루아얄 그런 고약한 말도 처벌할 수 있습니다. 여자들한테도 구속 영장을 발부할 수 있단 말이오.

클레앙트 이쯤에서 끝냅시다. 이만하면 됐어요. 그 서류를 주고 제발 가주시오.

루아얄 그럼 다시 뵙게 될 때까지 안녕히. 하나님께서 당신들 모두에게 기쁨을 내리시길!

오르공 하나님께서 너와 너를 보낸 자를 벌하시길!

제 5 장

오르공, 클레앙트, 마리안느, 엘미르, 페르넬르 부인, 도린느, 다미스

오 르 공 자 보셨습니까, 어머니? 제 말이 맞지요. 나머지는 이 통지서를 보시고 판단하세요. 이제 그자의 배신을 아시겠습니까?

페르넬르 부인 너무 놀라서 어안이벙벙하구나!

도 린 느 불평하시는 건 잘못입니다. 그분을 비난하시면 잘못하는 거지요. 그분의 독실한 의도가 이제 확실해진 겁니다. 그분의 미덕은 이웃 사랑을 실천하는 것입니다. 그분은 재산이 너무도 쉬이 사람을 타락시킨다는 걸 아시기 때문에, 순수한 자비심에서 어르신의 구원에 방해가 될 수 있는 모든 것을 가져가시려는 겁니다.

오 르 공 닥쳐! 너한테는 허구한날 이 소리를 해야 하니.

클레앙트 어떤 대책을 세워야 할지 보세.

엘 미 르 그 배은망덕한 자의 뻔뻔스런 의도를 세상에 알려요. 이 방법이 계약서를 무효로 만들 수 있을 거예요. 그리고 그자의 비열함이 너무도 음흉하다는 게 드러나면, 그 음모가 성공하는 걸 사람들도 가만히 두고 보지는 않을 거라구요.

제 6 장

발레르, 오르공, 클레앙트, 엘미르, 마리안느 외

발 레 르 안됐습니다만, 나쁜 소식을 전해 드리러 왔습니다. 사태가 급박해 어쩔 수 없었습니다. 저와 절친한 친구가 어르신과 저의 관계를 알고서 저를 위해 국무

상의 비밀을 알아내 통지해 왔는데, 어르신께서 곧장 달아나셔야 한다는 겁니다. 오래도록 어르신을 괴롭혀 온 그 협잡꾼이 한 시간 전에 국왕께 어르신을 고발하고, 독설을 퍼부으며, 한 국사범의 중요한 상자를 왕에게 넘겼다고 합니다. 그자의 말에 의하면, 어르신께서 백성으로서의 의무를 무시한 채 그 죄인의 비밀을 은닉했다는 겁니다. 어르신께 부과된 죄가 어떤 건지 전 잘 모릅니다만, 어쨌든 어르신을 잡아들이라는 명령이 내려졌고, 그 명령의 집행을 그자가 맡아 어르신을 체포할 사람을 데리고 이리로 온다 합니다.

클레앙트 그자가 제 권리를 그런 식으로 무장했군. 그 비열한 작자가 그런 식으로 해서 자네의 재산을 가로채려는 거야.

오르공 그 작자는 정말이지 몹쓸 동물이야!

발레르 조금이라도 지체하면 큰일납니다. 어르신을 모셔갈 제 마차를 문 앞에 세워 놓았습니다. 여기 돈도 1천 루이 가져왔구요. 한시도 지체해서는 안 됩니다. 급박합니다. 이런 사태를 피하는 데는 달아나는 수밖에 없습니다. 안전한 장소로 모시기 위해 제가 안내하겠습니다. 제가 끝까지 함께 가겠습니다.

오르공 아! 자네의 호의에 어떻게 감사해야 할지 모르겠군! 언젠가 은혜를 갚을 날이 오겠지. 이 고마움에 언젠가 보답할 수 있도록 하늘이 날 돕기를 빌 뿐이야. 자 그럼, 모두들 조심하게…….

클레앙트 얼른 가게. 해야 할 일은 우리가 생각할 테니.

마지막 장

집행관, 타르튀프, 발레르, 오르공, 엘미르, 마리안느 외

타르튀프 됐어요, 됐어. 그렇게 빨리 달아날 것 없습니다. 숙소를 찾자고 그렇게 멀리 가실 것까지 없습니다. 국왕의 명령에 따라 감옥으로 가실 테니.

오 르 공 배신자! 그걸 마지막 무기로 가지고 있었군. 그 계략으로 날 쫓아내려는 거지, 간악한 놈! 그렇게 해서 네 배은망덕한 짓이 성공을 거두는구나.

타르튀프 당신이 아무리 욕을 해도 난 아무렇지도 않습니다. 난 하나님을 위해 무엇이든 참는 법을 배웠으니까.

클레앙트 절제력이 대단하시군.

다 미 스 파렴치한 놈, 하늘까지 농락하다니!

타르튀프 당신들이 아무리 흥분해 봤자 난 까딱 없어. 난 내 할 일만 생각할 뿐이야.

마리안느 이런 짓을 하면서도 그걸 명예롭게 생각하나 보죠. 당신한테는 이 일이 아주 고귀한 일이구요.

타르튀프 나라에서 날 이곳으로 보낸 것이니 어떤 일인들 명예롭지 않겠소.

오 르 공 배은망덕한 놈! 비참한 상태에 있던 널 내 손으로 구해 준 걸 기억하느냐?

타르튀프 그렇소, 어떤 도움을 받았는지 알고 있소. 하지만 왕을 위하는 게 나의 첫째 의무이지요. 이 성스런 의무에서 비롯되는 정의로운 힘이 내 마음속의 고마움을 눌러 버리는 거요. 그래서 그 강력한 힘을 위해서라면 친구도 아내도 부모도, 그리고 나 자신조차도 버

릴 겁니다.

엘 미 르　사기꾼!

도 린 느　사람들이 숭배하는 모든 걸 간사하게 이용해 가면을 두르다니!

클레앙트　한데, 당신이 그렇듯 과시하는 그 열정이 당신이 말하듯 그렇게 완벽한 거라면 왜 그렇듯 뒤늦게서야 드러내 보였소? 왜 이 집 부인한테 추근대는 걸 주인에게 들킬 때까지 기다렸는가 말이오? 어째서 주인이 체면상 당신을 쫓아내지 않을 수 없게 되었을 때서야 그를 고발할 생각을 했는가 말입니다? 이 집 주인이 당신에게 준 그 재산을 되찾으려고 하는 말이 아닙니다. 하지만 오늘 이렇게 그를 죄인 취급하면서, 왜 그의 재산을 받는 데 동의했더란 말이오?

타르튀프　(집행관에게) 저 잔소리를 그만 듣게 해주십시오. 명령을 집행해 주시겠습니까?

집 행 관　네, 집행하는 데 너무 오래 지체한 것 같습니다. 마침 말씀하셨으니 이제 실행해 봅시다. 그럼 나를 따라 감옥으로 갑시다. 거기가 당신 주거가 될 테니까.

타르튀프　누구요? 저 말입니까?

집 행 관　그래, 당신.

타르튀프　감옥엔 왜?

집 행 관　그 설명을 해주고 싶은 사람은 당신이 아니야. (오르공에게) 놀라셨지요? 우리의 국왕께서는 사기 행위를 원수처럼 여기십니다. 폐하의 눈은 사람의 마음 속까지 훤히 들여다보셔서 사기꾼들의 간책 또한 통하지 않지요. 분별력이 탁월하셔서 사물을 정확하게 꿰뚫어보십니다. 어떤 일에도 흥분하는 법이 없으시며, 그 굳건한 이성은 극단으로 치우치는 법이 없으십니다. 선한 자들에게는 불멸의 영광을 내리시지만 맹목적이지 않습니다. 진짜 선한 이들을 향한 사랑은 넘쳐나지만, 거짓된 자들은 끔찍이 싫어하시지요. 이자도 폐하를 속일 수는 없었습니다. 폐하께서는 이자보다 한층 교묘한 함정을 마련해 대처하셨지요. 그 명석한 통찰력으로 이자의 마음속 온갖 비열한 생각들을 꿰뚫어보셨던 거지요. 이자는 당신을 고발하러 와서 스스로 자신의 정체를 드러내고 만 셈입니다. 공평무사한 하늘의 심판에 의해, 이자가 다른 이름으로 알려진 악명 높은 사기꾼임이 폐하 앞에 드러났습니다. 이자의 음흉한 범행들을 일일이 열거하자면 책이 수 권이나 될 것입니다. 폐하께서는 이자가 당신에게 한 배은망덕하고도 비열한 짓을 혐오하십니다. 이자의 다른 혐오스런 죄과들에다 이번 것까지 덧붙이셨고, 절더러 이자를 따르게 한 것은 이 파렴치한 행위를 끝까지 지켜보아 당신에게 이 모든 것을 보상해 주기 위해서였습니다. 그렇습니다, 폐하께서는 이자가 자기 것이라 하는 당신의 모든 서류를 이 협잡꾼에게서 되찾아 주기를 원하십니다. 폐하께서는 그 절대 권력으로 당신의 전재산을 이자에게 상속한다는 계약서를 파기하시고, 또 피난중인 당신의 친구와 밀통한 죄도 용서하신답니다. 그건 지난날 당신이 폐하께 보여 준 열성에 대한 보상입니다. 폐하께서는 선행에 대해 전혀 기대하지 않을 때 보상하시며, 공적은 잊으시는 법이 없고, 또 악행보다는 선행을 더 기억하신다는 걸 보여 주시려는 것입니다.

도 린 느 하나님께 영광을!

페르넬르 부인 이제 좀 숨쉴 것 같구나.

엘 미 르 아주 잘됐어요!

마리안느 누가 이럴 줄 알았겠어요?

오 르 공 (타르튀프에게) 그래! 꼴좋다, 비열한 놈…….

클레앙트 아! 매부, 그만두시오. 점잖지 못하게. 가련한 자는 제 나쁜 운명에 맡겨두고, 혼자서 뉘우치게 내버려 두세요. 그자가 오늘을 계기로 해서 마음이 선한 쪽으로 바뀌고, 제 잘못을 증오하면서 생활을 고치길 바랍시다. 그래서 국왕의 심판이 너그러워지기를 바랍시다. 매부는 폐하의 후의에 무릎 꿇고 감사드리세요.

오 르 공 네, 말씀 잘하셨습니다. 기꺼이 발 아래 엎드려 폐하께서 우리에게 베풀어 주신 후의에 감사드립시다. 이 첫번째 의무를 다하고 나서는, 또 한 사람의 호의에 보답해야 합니다. 너그럽고 성실한 사랑을 보여 준 발레르에게는 달콤한 결혼으로 보답해야겠지요.

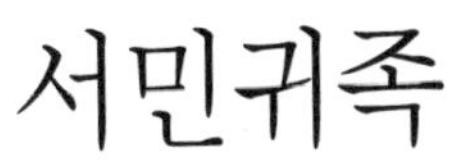

서민귀족

이연매 옮김

작품 해설

1670년 프랑스와 오토만 제국 사이의 관계는 위기에 빠졌다. 터키인들이 프랑스 대사들을 전혀 배려하지 않았던 것이다. "이 나라에서는 대사들이 명예를 생각해서 감정을 억제하려면 재치와 담력이 필요하고 신중함이 요구되며, 아무리 친절해 보이는 사람일지라도 그리스도교인들에게 무례하게 말하는 거칠고 무례한 이 나라 백성의 모욕과 경멸을 경계하는 척하지 않으려면 인내심이 필요하다."

프랑스 대사는 최근 터키로부터 외교관 면책특권에 대한 배려를 거의 받지 못했다. 프랑스 대사는 세트-투르 성에 감금되었다가 프랑스로 돌려보내졌다. 그렇게 해서 외교 관계는 단절되었다.

물론 터키의 비위를 맞추려는 프랑스의 대외 정책은 변함이 없었다. 그러나 우호적인 관계는 악화되었다. 그것은 루이 14세가 오토만의 영토 확장에 대해 조심스레 간접적으로 간섭하면서부터였다. 그는 오스트리아 황제를 돕기 위해 프랑스 원정군이 파견되는 걸 묵인했으며, 이 병력은 생-고타르 전투(1664)에서 활약했다. 어쨌든 적어도 그의 축복 속에 자원부대가 터키로부터 칸디아 섬을 지키려는 베네치아를 도우러 떠났던 것이다. 그런데도 터키는 베네치아의 항복을(1669. 9. 27) 받아내기에 이르렀다. 이것은 터키에 대한 프랑스의 호기심을 불러일으켰다. 그리스도교도국의 적(敵)이면서 행복한 나라는 호기심을 불러일으킬 만했으며, 나아가 유행이 되기까지 하였다.

터키 황제는 정상적인 외교 관계를 다시 세우려는 의도로 프랑스에 솔리만 아가라는 특사를 보낸다. 그는 그다지 대단한 인물은 아니었다. 그의 신분은 궁중에서 아주 보잘것 없는 왕의 시종에 지나지 않았다. 더욱이 그는 그다지 능수능란한 인물도 아니었다. 그는 거만하고, 화 잘 내고, 요구가 많고, 불평 많고, 비속한 인물이라 프랑스 궁정에서 양초를 내주는 것조차 아까워하고, 식사도 보잘것 없게 오로지 양고기와 기름기 없고 말라빠진 닭에 썩은 포도를 곁들여 내놓았던 것 같다. 그는 오토만 제국의 명예를 지키기 위해 그리스도교도들에게 절대로 현혹되지 않고 아무런 감탄도 하지 않기로 작정한 듯했다. 게다가 그는 침울한 사람이었다. 기사 다리비유는 그가 '우울증 환자'였다고 적고 있다. 사실 그 사절에 대해서는 다리비유의 《회상록》을 통해 잘 알 수 있다. 루이 14세의 '공인된 통역자들'보다 터키어를 잘하는 기사 다리비유는, 솔리만 아가를 수행하고 약간은 그를 정탐하는 직책을 맡았던 것이다.

솔리만 아가는 1669년 11월 1일 궁정에 도착했다. 그런데 대중은 이미 7월부터 그가 오리라는 걸 알고 있다. 프랑스는 그를 아주 호사스럽게 맞이하였고, 터키식으로 그를 접대하는 것이 좋을 거라 생각했다. 그러나 다리비유는 그것을 졸열한 짓이라 여겼다. 다리비유는 외무대신이 치마 같은 긴 옷을 걸치고, 은으로 장식한 생-테스프리 십자가를 달고 터키 사절을 기다리는 걸 보는 것만으로도 위선이라 생각했다. 왕은 외무대신처럼 터키 의상을 굳이 입어야 한다고는 생각지 않았지만, 자신이 가지고 있는 온갖 다이아몬드를 과시해 보였다. "……왕은 금으로 짠 수단을 걸치고, 가장 멋들어진 깃털장식에 번쩍이는 모자를 쓰고서 위풍당당하게 (은으로 된 옥좌에) 모습을 드러냈다. 그런데 너무도 엄청난 다이아몬드로 인해 왕은 마치 빛으로 둘러싸인 것처럼 보였다." 그러나 그 터키 사절은 현혹되지 않았으며, 금요 기도를 위해 회교 사원에 갈 때의 술탄의 말이 왕보다 더 화려하게 장식된다고 지적했다. 이 터키인은 예의를 지키지 않았던 것 같다.

1670년 5월 30일, 그는 작별 알현을 했다. 《가제트》지가 특별호를 그에게 할애했을 만큼 프랑스 왕실이 그에게 대단한 노력을 기울였음에도 불구하고, 그는 프랑스에 대해 실망했다.

어쨌든 그는 터키풍의 문물을 유행시켰다. 터키 이외에 이집트·마그레브(모로코·튀니지·알제리를 포함하는 북아프리카 지방)·그리스·발칸 반도가 오토만 제국에 종속해 있었기 때문에 터키가 국제 정치에서 아주 막강한 영향력을 지녔었다는 사실을 잊지 말자. 또한 많은 프랑스 귀족 가문들이 칸디아 섬에서 터키군에 포위된 베네치아를 지원하기 위해 지원병을 공급했었다는 사실도 생각하자. 터키와 거래를 하자면 그런 사실을 염두에 두었어야 했다.

왕은 직접 터키의 풍습들을 알 필요를 느꼈다. 왕에게 터키 풍습을 강의하도록 다리비유가 생-제르맹에 초대되었다. 사람들이 그에게 질문했다. "내 대답이 아주 재미있어서 그들은 몹시 즐거워했다. 왕과 라발리에르 공작부인은 절제해 가며 웃었지만, 드 몽테스팡 공(루이 14세의 동생, 필립 도를레앙)과 그의 부인은 멀리서도 들릴 정도로 박장대소하였다."

더욱이 페르시아인이 될 수 있다는 사실에 언제라도 놀랄 태세가 되어 있는 백성들에게 터키 의상은 이국 취향의 온갖 즐거움을 제공해 준다. 1660년부터 륄리는 왕을 위한 터키 발레를 만들었다. 1670년에 그가 터키식으로 축연을 계획한 것은 지극히 자연스런 일이었다. 왕의 명령에 의해 몰리에르와 륄리와 다리비유는 여름 동안 작업을 했다. "왕은 샹보르로 여행을 가서 사냥을 하며 기분전환을 하고 싶어했고, 궁정에서는 발레 공연을 하고 싶어했다. 그리고 최근에 파리에서 보았던 터키인들에 대한 생각이 아주 생생해, 터키인들을 무대에 등장시키는 것이 좋을 거라 생각했다. 폐하께서는 터키의 의복과 예절이 들어가는 연극을 만들기 위해 내게 몰리에르와, 또 륄리와 합류하도록 명했다. 그래서 나는 몰리에르의 아주 예쁜 집이 있는 오테이유 마을로 갔다. 거기서 우리는 몰리에르의 작품 가운데, 귀족의 딸과 결혼하기 위해 터키인 행세를 하는 다리비유의 이 증언과는 달리(실제 내용은 자신의 딸을 터키 왕자(가짜)와 결혼시키려고 터키인 행세를 하는 부르주아의 이야기다) 《서민귀족》이라는 제목의 연극을 만드는 작업을 했다. 터키 의복과 예절에 관계된 것은 모두 내가 맡았다."

자신을 과소평가하지 않는 다리비유는 그 스스로를 거의 몰리에르와 동등한 극작가처럼 여겼다. 그래서 공연히 끼어들곤 하였다. 하지만 후하게 보더라도 그는 터키 풍물에 대한 조언자일 뿐이었다.

첫 공연은 10월 14일에 있었다. 연극은 16일·20일·21일에 재공연을 했고, 11월 9일·11일과 13일에는 생-제르맹에서 공연을 했다. 돈을 아끼지 않았기에 비용은 엄청났다.

12월 23일부터 파리 사람들은 무용과 음악을 곁들인 그 연극을 볼 수 있었다.

> 그의 매혹적인 작품 서민귀족이
> 화요일, 대중에게 공연된다.
> 처음부터 끝까지, 꼼꼼이

샹보르와 생-제르맹에서
우리의 위대한 군주가 보았던 그대로,
아름답고 훌륭한 음악과
잘 준비된 발레와 함께…….

공연은 계속해서 성공적이었다. 1670년 12월에 6회, 1671년에 28회, 1672년에 8회 공연이 있었다.

희곡은 1671년에 출간되었다. 우리가 복제한 것이 바로 그 대본이다. 게다가 1682년의 대본도 주르댕이 마마무쉬로 즉위하는 의식에서 약간 다를 뿐이다.

그렇게 미친 듯이 귀족을 갈망하고, 타고난 서민 신분을 벗으려고 그처럼 안달하는 이 인물은 어디에서 나온 것일까? 그리마레스트는 사랑에 빠져 정신이 이상해진 어떤 모자 제조인이 주르댕의 원형일 것이라는 풍문을 언급하며 그 가능성을 배격한다.

또한 어떤 이는 콜베르와 주르댕 사이의 공통점을 환기시키기도 했다. 두 사람 모두 옷감 제조업자의 아들이었던 것이다. 몰리에르는 콜베르를 전적으로 찬미하지는 않았던 것 같다. 그렇지만 특별수당의 지급이 그에게 달려 있었다는 것을 잊지 말아야 한다. 그러니 설령 어떤 공격이 있었다 하더라도, 아마도 너무나 조심스러워 효력이 없었을 것이다.

어쩌면 프랑스 사회 구조를 생각하는 편이 나을 것이다. 서민 신분은 장애요 결함이었으니, 재력이 있는 서민은 누구나 돈으로 귀족 신분을 사려 들 만한 충분한 이유가 있었다. 귀족품을 받은 사람에게는 서민의 세금인 인두세와 조세가 면제되었다. 그것은 무시할 수 없는 혜택이었다. 귀족품을 받은 사람에게는 특히 군대에서, 귀족이 아닌 사람이 바랄 수 없는 성공의 길이 그들 자

손들에게 열렸다. 그러므로 프랑스 사회가 서민귀족들을 아주 자연스럽게 퍼뜨렸다는 것이 가장 진실에 가까울 것이다. 법으로는 가짜 귀족을 쫓아내고 작위 여부가 의심스러운 사람들에게 증명서류를 요구하였다는 것은 사실이다. 그와 동시에 계보학자들은 그들 의뢰인의 귀족 신분 또는 귀족 자격——다시 말해 귀족 혈통——을 입증하려고 애썼다.

"부르주아들은 저마다 이 작품에서 사실적으로 그려진 자신의 이웃을 만난다고 생각했다"고 그리마레스트는 말한다. 몰리에르는 그의 주변 사람들이나 부친의 주변 사람들에게서, 옷감 장사의 아들이나 혹은 거물 상인들을 접했을 것이고, 그들이 알지도 못한 채 주르댕에게 여러 가지 특징들을 부여했을 수도 있을 것이다.

특별한 모델들은 터키 의식에서 찾아내었다. 실제로 터키 예식은 회교 수도승의 춤을 생각케 하는데, 주르댕이 쓴 터무니없이 큰 터번은 오래 전부터 삽화를 통해 대중화된 회교 수도승의 터번이다. 한편 주르댕을 마마무쉬로 받아들이는 예식은 생-장-드-예루살렘의 기사단과 결합된 노트르담 뒤 몽 카르멜 기사단의 입단 의식을 연상시키는데, 종교에 대한 질문이며 관습에 관한 정보, 신입회원의 귀족 신분 확인 등의 절차가 그러하다. 그렇다 하더라도 종교적이건 바커스적인 모임이건, 모든 의식들이 무한정 다양한 것이 아니므로 모든 입회 의식이 서로 비슷하지는 않은지 의문을 가져 볼 수는 있겠다.

또한 그것은 주교 서품식을 연상시킨다. 실제로 노트르담 뒤 몽 카르멜의 기사 입회식이 미사 경본에 대한 서약을 준비한다면, 주교 서품식에는 정말 특별한 의식이 있다. 주교의 머리 위에 복음서를 올려 놓는 의식이 그것이다. 1671년 간행본의 터키 예식에서는 계율승려에게 코란을 제시하고 있다는 사실에 유의하자. 하지만 그가 그것을 어떻게 사용하는지는 밝혀져 있지 않다. 1682년 간행본에는 부르주아(주르댕)가 손이 바닥에 닿을 정도로 몸을 굽히는 한층 더 철저한 예식이 담겨 있다. 회교 수도승들은 그의 등에 코란을 올려 놓고, 그로 하여금 승려를 위한 책상 구실을 하게 한다. 이것은 주교 서품식에 특별히 나타나는 것으로, 복음서를 올려 놓는 의식과 아주 유사하다. 그렇다면 1671년 간행본에는 터키 예식이 완화되어 있으며, 1682년 대본은 더 대담해졌다는 말인가? 거기에 진정으로 대담한 의도가 있었다면, 그 당시 《동 쥐앙》을 경계하여 자세히 검사하고 재조판을 하게 만들었던 검열이 과연 그것을 용인했을지 의문을 제기해 보아야 할 것이다.

《서민귀족》은 처음에 3막으로 상연되었다. 1670년의 대본이 그 사실을 증언한다. 1막은 양재 견습공의 춤으로 끝맺었다.(2막 5장 끝) 2막은 권주가로 끝이 났다.(4막 1장 끝) 엄밀하게 말하자면 연인들의 결혼으로 연극은 끝이 났고, 공연은 국제적 무도회로 이어졌다. 첫 간행본부터 《서민귀족》은 5막으로 나누어졌고, 1682년에도 그것이 그대로 남았을 것이다. 한 작품을 서로 다르게 나눈 두 경우에서 적당히 규칙적인 극적 진전을 찾지 말아야 한다. 사실 촌극들은 연이어 이어진다. 부르주아(주르댕)와 패션, 부르주아와 학문, 부르주아와 사랑…… 우리가 그를 잘 알게 되었을 때, 그가 우리 눈앞에서 충분히 돌변했을 때, 그에게는 우스꽝스러운 화려한 피날레가 마련된다. 그후에는 사람들의 마음을 충족시키기 위해 연인들을 결혼시켜야만 한다. 5막은 이런 적선에 할애되었다. 같은 막에서 터키 왕자의 장인이 되어 마치 전염이라도 되듯, 결혼을 통해 귀족 신분 중에서도 가장 지체 높은 신분을 얻게 된 주르댕을 보며 사람들은 또다시 조소하게 될 것이다.

일단 연극이 끝난 뒤에는 그를 어떻게 처리할까? 그는 마치 종막 발레에 푹 빠진 관객처럼 무대에 남아 있다. 이렇게 해서 가장 풍미 있는 사회적 사실주의로 시작했던 이 연극은 극(劇) 속의 극이라는 약간은 환상적인 양상을 취하며 끝이 난다.

이 글은 고전주의의 대연구가 조르주 쿠통(Georges Couton)이 정리하고 주석을 단 플레이아드판(版) 《몰리에르 전집》에서 발췌한 것이다.

서민귀족

등장인물

주르댕: 부자 서민.

주르댕 부인: 주르댕의 아내.

뤼실: 주르댕의 딸.

니콜: 하녀.

클레옹트: 뤼실의 연인.

코비엘: 클레옹트의 하인.

도랑트: 백작, 도리멘느의 정부.

도리멘느: 후작부인.

음악선생, 음악선생의 제자.

무용선생.

검술선생.

철학선생.

양재사, 양재 견습공.

두 명의 하인, 남녀 가수들, 연주자들, 무용수, 요리사,
견습공과 그외 다수.

무대는 파리.

(악기들의 성대한 합주로 막이 열린다. 무대 중앙에는 음악선생의 제자가 책상에서 주르댕이 주문한 세레나데를 작곡하고 있다.)

제 1 막

제 1 장

음악선생, 무용선생, 가수 3명, 바이올린 연주자 2명, 무용수 4명

음악선생 (가수들에게) 자, 이 방으로 들어와서 그분이 올 때까지 쉬고들 있어.

무용선생 (무용수들에게) 자네들도 이쪽으로 와.

음악선생 (제자에게) 다 됐나?

제　　자 네.

음악선생 음…… 잘했군.

무용선생 새로 작곡한 겁니까?

음악선생 네, 세레나데입니다. 그분이 주무시는 동안 제자에게 작곡하도록 했지요.

무용선생 내가 좀 봐도 되겠습니까?

음악선생 그분이 오시면 노랫말과 함께 들으시지요. 곧 나오실 겁니다.

무용선생 당신이나 나나, 우리 일이 요즈음 같아선 꽤 괜찮은 편이지요.

음악선생 맞아요. 우리 둘에게 꼭 필요한 사람을 이곳에서 찾은 겁니다. 주르댕 씨가 귀족이나 신사에 대해 환상을 품고 있으니 우리에게는 꽤 괜찮은 돈벌이지요. 세상 사람들이 다 그분과 같다면 당신의 무용이나

내 음악은 바랄 게 없지요.

무용선생 하지만 그것이 전부는 아니지요. 나는 그분이 우리가 보여 주는 것에만 전념하기보다 자기 자신을 더 잘 알았으면 좋겠습니다.

음악선생 사실 그분은 우리가 보여 주는 것을 잘 이해하지 못합니다. 하지만 돈은 잘 주시지요. 무엇보다도 우리의 예술이 필요로 하는 것이 바로 그것 아니겠습니까.

무용선생 솔직히 말해 난 다소 명예를 즐기는 편입니다. 박수갈채를 받는 것이 무엇보다 기쁘죠. 어떤 예술이든 바보들이 보거나, 멍청한 자들이 작품에 대해 무례한 태도를 보인다면 참으로 가슴 아픈 일이지요. 예술의 섬세함을 느낄 수 있고, 작품의 아름다움을 받아들일 줄도 알고, 작품을 보고 기분 좋은 찬사를 보낼 줄 아는 사람들을 위해 일한다는 것은 더할나위없이 기쁜 일이지요. 그래요. 우리가 하는 일에 대한 가장 유쾌한 보답은 그것을 이해하고, 박수갈채를 보내며 경의를 표하는 것이지요. 내 생각에 우리의 노고에 이보다 더 나은 보답은 없다고 생각해요. 진정한 칭찬이야말로 달콤한 꿀맛이지요.

음악선생 나도 그렇다고 생각해요. 당신이 말했듯이 정말 박수갈채보다 나를 더 즐겁게 하는 것은 없어요. 그러나 칭찬만으로는 살 수가 없어요. 정말 순수한 칭찬은 인간을 조금도 편하게 해주지 않아요. 여기에 확실한 것이 뒤따라야 하지요. 가장 좋은 칭찬은 돈을 지불하는 것입니다. 사실 주르댕 씨의 지식은 형편

없어요. 말도 안 되는 소리나 하고, 칭찬하는 것도 터무니없어요. 하지만 그분은 돈에 있어서는 제대로 판단하지요. 돈 계산은 정확하거든요. 그분은 칭찬을 돈으로 합니다. 당신도 알다시피 우리를 여기에 소개시켜 준 견식 있는 귀족보다 무식한 부자가 우리에겐 더 가치가 있지요.

무용선생 당신 말도 일리가 있지만 지나치게 돈을 강조하는 것 같군요. 돈이란 너무나 저속해서 결코 신사가 집착할 것이 아니지요.

음악선생 그래도 당신은 그분이 주는 돈을 잘 받고 있지 않습니까.

무용선생 물론 그렇긴 합니다만, 그것이 내 행복의 전부는 아니지요. 나는 그분이 재산 외에 예술에 대한 고상한 취미를 가졌으면 좋겠어요.

음악선생 나 역시 그러길 바랍니다. 그렇기에 우리 둘이 이렇게 열심히 가르치고 있는 것 아니겠습니까. 여하튼 그분 덕에 우리가 세상에 알려지는 것 아닌가요. 그분은 다른 사람들에게도 돈을 지불할 것이고, 그 사람들 역시 그분을 칭찬할 것입니다.

무용선생 그분이 나오시네요.

제 2 장

주르댕, 2명의 하인, 음악선생, 무용선생,
바이올린 연주자, 가수와 무용수들

주 르 댕　아, 여기들 모였군, 그게 뭐요? 당신들이 만든 그 우스꽝스런 짓거리 좀 보여 주겠소?

무용선생　네? 우스꽝스런 짓거리라고요?

주 르 댕　에, 그러니까…… 그걸 뭐라고 하더라? 노래와 춤의 서곡인지 대사인지 말이오.

무용선생　아! 아!

음악선생　보시기만 하면 됩니다.

주 르 댕　내가 좀 기다리게 했군. 오늘은 양재사가 신사처럼 품위 있게 입어야 한다며 비단 양말을 보내왔지 뭐요. 난 한번도 그런 양말을 신어 본 적이 없거든.

음악선생　어르신께서 여유를 찾을 때까지 여기서 기다리지요.

주 르 댕　두 분 선생께서 기다렸다가 내 예복이 도착하면 봐주었으면 좋겠소.

무용선생　그렇게 하지요.

주 르 댕　머리부터 발끝까지 훌륭히 갖추어 입을 테니 두고 보시오.

음악선생　어련하시겠습니까.

주 르 댕　이 인도 사라로 옷을 만들게 했지요.

무용선생　옷감이 아주 아름답네요.

주 르 댕　양재사가 그러는데, 신사들은 아침에 이런 차림을 한다는군.

음악선생　어르신께서는 그 차림이 아주 잘 어울립니다.

주 르 댕　애들아! 여봐라, 이놈들아!

하인 1　부르셨습니까, 주인님?

주 르 댕　아무 일도 아니다. 내 말이 잘 들리나 보려 했지. (두 선생에게) 내 하인들의 옷을 어떻게 생각하십니까?

무용선생　훌륭합니다.

주 르 댕　(그는 겉옷을 반쯤 열고 안에 입은 붉은 벨벳으로 된 좁고 짧은 바지와, 초록색 벨벳으로 된 짧은 윗옷을 보여 준다.)

자 어때요, 아침 운동할 때 입는 실내복인데.

음악선생　우아하군요.

주 르 댕　애들아!

하인 1　예.

주 르 댕　다른 놈은!

하인 2　예.

주 르 댕　내 옷 좀 받아라. 이렇게 하는 게 더 낫지 않소?

무용선생　아주 좋습니다. 훨씬 좋습니다.

주 르 댕　자 그러면 당신들이 한 것 좀 볼까요.

음악선생　먼저 어르신께서 주문하셨던 세레나데를 들어 보는 것이 어떻겠습니까? 제 제자가 작곡하였는데, 이런 일에는 재주가 뛰어나답니다.

주 르 댕　당신도 충분히 할 수 있는 일을 제자에게 시키다니 안 될 일이죠.

음악선생　제자라고 해서 잘못 생각하신 것 같네요, 어르신. 이런 제자들 정도면 대가들 못지 않게 작곡할 수 있습니다. 곡도 썩 훌륭합니다. 한 번 들어 보시죠.

주 르 댕　곡을 잘 들어야 하니 옷을 가져와라. 기다리시오. 옷을 안 입고는 잘 들을 수가 없을 것 같으니…… 가만있자, 안 입는 게 나을 것 같군. 아니다, 그것을 도로 가져와라. 그걸 입는 게 더 낫겠어.

(가수들, 노래한다.)

아름다운 그대 냉랭한 눈빛에 사로잡힌 순간부터,
밤낮으로 괴로워 고통을 가눌 길 없네.
아름다운 이리스,
그대를 사랑하는 사람을 이렇게 대한다면,
오! 그대는 그대 적들에게는 어떻게 대한단 말인가요?

주르댕 노래가 좀 침통하고 졸린 것 같아. 군데군데 즐겁게 좀 만들었으면 좋겠소.

음악선생 어르신, 곡이 가사와 어울려야만 합니다.

주르댕 얼마 전에 아주 재미있는 노래를 하나 배웠는데, 잠깐만…… 어떻게 시작하더라?

무용선생 저는 모르겠는데요.

주르댕 노래에 양이 나오는데.

무용선생 양이오?

주르댕 그래, 옳지!
(주르댕이 노래한다.)
쟈느통은 아름답고 상냥하지.
쟈느통은 양보다 더 순하지.
아아! 슬프게도
그녀는 숲 속의 호랑이보다
백 배, 천 배 더 사나워.

주르댕 재밌지 않소?

음악선생 굉장히 재미있네요.

무용선생 노래를 아주 잘하십니다.

주르댕 음악을 배운 적은 없소.

음악선생 어르신께서 무용을 배우시는 것처럼 음악을 배우시는 것도 좋을 듯합니다. 두 예술은 서로 밀접한 관련이 있으니까요.

무용선생 그리고 아름다운 것에 눈 뜨게 하지요.

주 르 댕 귀족들도 음악을 배우겠지요?

음악선생 그렇습니다, 어르신.

주 르 댕 그렇다면 배워야지. 그런데 어느 시간에 배워야 할지 모르겠소. 검술선생 외에 철학선생도 고용했는데, 오늘 아침부터 시작해야만 하오.

음악선생 철학도 중요하지요. 그러나 음악도, 어르신, 음악 또한…….

무용선생 음악과 춤은…… 음악과 춤은 무엇보다 필요합니다.

음악선생 음악보다 국가에 유익한 것은 없습니다.

무용선생 춤보다 인간에게 필요한 것은 없습니다.

음악선생 음악이 없다면 국가는 존속할 수 없습니다.

무용선생 춤이 없다면 인간은 아무것도 할 수가 없습니다.

음악선생 세상의 온갖 무질서와 전쟁은 음악을 배우지 않기 때문에 일어나지요.

무용선생 인간의 모든 불행, 사건들로 얼룩진 온갖 참담한 이면들, 정치적인 잘못, 명장들의 과실, 이 모든 것이 춤을 모르기 때문에 빚어진 것입니다.

주 르 댕 어째서 그렇지요?

음악선생 인간들간에 화합이 이루어지지 않으면 전쟁이 나지 않습니까?

주 르 댕 맞는 말이오.

음악선생 모든 사람들이 음악을 배운다면 서로 의좋게 어울릴 수 있고, 세계 평화를 실현할 수 있지 않겠습니까?

주 르 댕　선생 말이 옳군요.

무용선생　어떤 사람이 잘못을 저지르면 가족 문제에 대해서든지, 혹은 국가의 정치나 군의 명령에 대해서든지간에 항상 '아무개가 어떤 사건에 발을 헛디뎠다' 고 하지 않습니까?

주 르 댕　맞아요, 그렇게 말하지요.

무용선생　발을 헛디뎠다는 것은 춤을 모르기 때문에 생기는 것 아니겠습니까?

주 르 댕　맞아요, 두 분 말이 옳습니다.

무용선생　어르신께 춤과 음악이 얼마나 훌륭하고 유용한지를 알려 드리기 위함입니다.

주 르 댕　이제야 알겠소.

음악선생　우리가 한 것을 보시겠습니까?

주 르 댕　어디 봅시다.

음악선생　이미 말씀드렸듯이, 이것은 연습곡입니다. 예전에 제가 여러 가지 사랑의 감정을 표현해서 만든 곡에 가사를 붙였지요.

주 르 댕　훌륭하군요.

음악선생　자, 시작합시다. 이들이 양치기로 분장했다고 상상하셔야 합니다.

주 르 댕　왜 항상 양치기오? 어디든 양치기만 나오니.

무용선생　음악으로 대사를 하는 인물들이 필요할 때 그럴 듯하게 보이려면 양의 우리에서 해야 합니다. 노래는 옛부터 목동들의 전유물이었습니다. 왜냐하면 왕자님이나 시민들의 사랑 노래는 대사로서 자연스럽지 않기 때문입니다.

주 르 댕　알았소. 알았소. 어디 봅시다.

노래로 하는 대화

여가수 1명과 남가수 2명

사랑으로 병든 가슴
언제나 수많은 걱정들로 불안하고
기꺼이 괴로워하고 한숨짓는다고들 하지만
사람들이 뭐라 하든
우리의 자유보다 달콤한 것은 아무것도 없다오.

가수 1　열렬한 사랑보다 더 달콤한 것은 없어라.
이 사랑이야말로 둘이
한 가지를 갈망하며 살아가게 만들지.
사랑의 욕망 없이 행복해질 수는 없어라.
인생에서 사랑을 빼버리면
인생의 기쁨은 사라지는 것.

가수 2　사랑에서 어떤 믿음을 발견한다면
사랑에 빠져드는 것은 달콤하겠지.
그러나, 아! 오 무정하고 잔인한 그녀!
정숙한 데라고는 찾아볼 수 없으니,
도대체 빛을 볼 자격이 없는 절개 없는 그녀
영원히 사랑을 포기할 수밖에.

가수 1　사랑의 열정.

여 가 수　행복한 자유.

가수 2　믿지 못할 여자.
가수 1　내겐 너무 소중한 당신!
여 가 수　내 마음에 쏙 드는 당신.
가수 2　잔인한 당신!
가수 1　아! 사랑을 위해 이 미칠 듯한 증오심을 버려라.
여 가 수　정숙한 양치기 처녀를 보여 주지.
가수 2　오! 어디서 그녀를 만나지?
여 가 수　우리의 명예를 지키기 위해
내 마음 그대에게 바칩니다.
가수 2　그러나 양치는 처녀여,
그대가 변치 않는다는 것을 어떻게 믿지요?
여 가 수　경험해 보면 알지요.
둘 중에 누가 더 사랑하는지.
가수 2　신의를 저버리는 자
하나님께서 저버릴지어다!
다 같 이　이토록 아름다운 열정에
우리를 불태우자!
사랑은 얼마나 달콤한가
두 마음이 진실하다면!

주 르 댕　다 끝났소?
음악선생　예.
주 르 댕　참으로 잘 만들었소. 괜찮은 말들도 좀 있군요.
무용선생　제가 만든 것은 여러 가지 춤이 지닐 수 있는 가장
아름다운 동작과 자태들입니다.
주 르 댕　또 양치기오?

무용선생 마음에 드실 겁니다. 보세요.

(4명의 무용수가 무용선생의 명령에 따라 서로 다른 동작과 스텝을 밟는다. 이 춤이 첫번째 막간극이 된다.)

제 2 막

제 1 장

주르댕, 음악선생, 무용선생, 하인

주 르 댕 그럴 듯하군. 몸들도 잘 움직이네.

음악선생 춤과 음악이 어우러지면 더 큰 효과가 있을 것입니다. 우리가 어르신께 적합한 짧은 무도극을 준비했는데 아주 멋지답니다.

주 르 댕 어쨌든 조금 후에 봅시다. 영광스럽게도 고귀하신 분과 집에서 저녁 식사를 하기로 되어 있는데, 그분을 위해 만반의 준비를 시켰지요. 그때 보도록 하지요.

무용선생 모든 것이 준비되어 있습니다.

음악선생 그런데 어르신, 이런 것으로는 부족합니다. 어르신같이 멋지고 고상한 취미를 가지신 분은, 매주 수요일이나 목요일에 집에서 음악회를 갖는 것이 좋습니다.

주 르 댕 귀족들도 그렇게 하고 있소?

음악선생 예, 어르신.

주 르 댕 그렇다면 나도 하지. 그런데 재미있을까?

음악선생 물론입니다. 소프라노 · 카운터테너 · 베이스 등 세 명의 가수와 이들을 받쳐 줄 저음 비올라 · 테오르보, 통주 저음을 위한 하프시코드, 소악장 연주를 위한 고음 바이올린 두 대가 필요합니다.

주 르 댕 나는 일현금 소리가 좋던데.

음악선생 그 문제는 저희에게 맡기시지요.

주 르 댕 어쨌든 잊지 말고 가수들을 조금 후에 보내 주시오. 식사 때 노래를 듣고 싶으니까.

음악선생 만반의 준비를 해놓겠습니다.

주 르 댕 특히 무용곡을 멋지게 해주오.

음악선생 만족하실 겁니다. 무엇보다도 미뉴에트가 마음에 드실 거예요.

주 르 댕 아! 미뉴에트는 내가 잘 추지. 내 춤솜씨를 보여 주고 싶은데. 자, 선생.

무용선생 모자를 쓰시지요, 어르신. 랄라라, 랄라라라라라, 랄라라, 다시, 랄라라, 랄라. 박자를 맞추세요. 랄라라라. 오른발. 랄라라. 어깨를 그렇게 움직이지 마세요. 랄라라라라, 랄라라라라. 두 팔이 잘못되었습니다. 랄라라라라. 머리를 드세요. 발끝을 바깥쪽으로 돌리세요. 랄라라. 몸을 바로 하세요.

주 르 댕 어떻소?

음악선생 정말 잘 추십니다.

주 르 댕 그건 그렇고, 후작부인에게 인사할 때 어떻게 하는지 좀 가르쳐 주시오. 잠시 후에 써먹어야 하거든.

무용선생 후작부인에게 인사를 한다고요?

주 르 댕 그렇소. 도리멘느라고 하는 후작부인이오.

무용선생 손을 내밀어 보세요.

주 르 댕 아니, 잘 기억할 수 있으니 선생께서 해보이기만 하시오.

무용선생 아주 정중하게 인사하고 싶으시다면, 우선 뒤에서 절을 한 다음 앞으로 가서 세 번 절하고, 마지막으로 상대방 무릎까지 몸을 굽혀 인사를 해야 합니다.

주르댕　어디 좀 해보시오. 좋아요.

하인 1　주인님, 검술선생님께서 오셨습니다.

주르댕　여기서 수업할 거니까 들어오시라고 해. 내 검술하는 모습을 보여 드리고 싶소.

제 2 장

검술선생, 음악선생, 무용선생, 주르댕, 2명의 하인

검술선생　(주르댕의 손에 검을 쥐어 주고) 자 어르신, 인사하세요. 몸을 바로 하고, 왼쪽 허벅지 쪽을 조금 기울이세요. 다리를 그렇게 벌리시면 안 됩니다. 두 발은 같은 선 위에 두고, 손을 등허리에 대고, 칼끝은 어깨 높이로 드세요. 팔을 그렇게 쭉 펴지 마세요. 왼손은 눈높이로 하시고, 왼쪽 어깨는 더 바깥쪽을 향하도록 하세요. 머리를 똑바로 하여 시선을 고정시키고, 앞으로 나가세요. 몸을 움직이지 말고 4번 자세로 찌르세요. 마무리하세요. 하나, 둘. 원상태로 돌아오세요. 발을 움직이지 말고 반격하세요. 뒤로 물러나셨다가, 찌를 때 검이 먼저 나오고 몸은 뒤로 젖혀져야 합니다. 하나, 둘. 자, 3번 자세로 찌르고 마무리하세요. 전진. 몸을 움직이지 말고 앞으로 나가세요. 거기서 찌르세요. 하나, 둘. 원래 자세로 돌아오세요. 반격하세요. 뒤로 물러서시고, 방어 자세로. 어르신, 방어 자세.

(검술선생은 주르댕에게 '방어 자세'를 요구하며 두세 번 찌르기를 한다.)

주 르 댕　어떻소?

음악선생　훌륭한 솜씨로군요.

검술선생　말씀드렸듯이 검술의 비법은 '찌르느냐' 아니면 '찔리느냐' 이 두 가지 경우만이 있을 뿐입니다. 요전에 제가 어르신께 시범을 보여 드렸던 것처럼, 어르신의 몸이 적의 검을 피할 줄 안다면 찔리지 않습니다. 그저 손목을 안팎으로 약간 움직여 주시기만 하면 됩니다.

주 르 댕　그러니까 이렇게 하면, 용기가 없는 사람이라도 상대를 찌르면서 찔리지는 않는다는 말이군.

검술선생　물론입니다. 시범을 보지 않았습니까?

주 르 댕　보았죠.

검술선생　바로 이런 점에서 우리 검술사들은 나라에서 존경을 받아 마땅합니다. 검술은 무용이니 음악이니…… 하는 여타 불필요한 학문보다 훨씬 월등합니다.

무용선생　참으로 훌륭하군요. 하지만 검술가 양반, 무용에 대해 말할 때는 좀더 존중하는 마음을 가지고 말씀하시지요.

음악선생　음악의 우수성을 존중하는 태도나 더 배우시지요.

검술선생　웃기는 사람들이군. 감히 내 학문과 비교하다니.

음악선생　잘난 척하는 꼴하고는!

무용선생　가슴받이를 한 웃기는 동물 같으니!

검술선생　불쌍한 무용선생, 내가 맘만 먹으면 당신 춤추게 만드는 건 유도 아냐. 그리고 이 가련한 음악가야, 당신을 줄창 노래 부르도록 만드는 것도 식은 죽 먹기야.

무용선생 검객 양반, 내가 당신에게 검술을 가르쳐 주지.

주 르 댕 (무용선생에게) 미쳤소? 검술선생에게 싸움을 걸다니. 아까도 보았듯이 이 사람은 사람을 찌르는 3번 자세·4번 자세를 알고 있단 말이오.

무용선생 3번 자세고 4번 자세고, 저자의 작전 따위가 무슨 대수입니까?

주 르 댕 모두들 조용히 하시오.

검술선생 뭐라고? 이 무례한 놈아!

주 르 댕 아하! 검술선생.

무용선생 뭐가 어째? 이 머저리 같은 놈아!

주 르 댕 아하! 무용선생.

검술선생 저걸 확 밟아 버려…….

주 르 댕 조용히!

무용선생 너 따위는 그냥 한방에…….

주 르 댕 훌륭하군.

검술선생 저걸 확 날려 버려…….

주 르 댕 그만들 두시오. 제발!

무용선생 죽고 싶어 환장했군…….

주 르 댕 제발.

음악선생 말리지 마세요. 저놈의 말버릇 좀 고쳐 주게.

주 르 댕 맙소사! 그만들 두시오!

제 3 장

철학선생, 음악선생, 무용선생, 검술선생, 주르댕

주 르 댕　아이구, 철학선생. 마침 잘 왔소이다. 이리로 와서 여기 이분들 좀 진정시켜 주시오.

철학선생　도대체 무슨 일입니까? 왜들 이러시지요?

주 르 댕　이 사람들이 서로 자기 직업이 월등하다고 화를 내고 욕지거리를 해대더니 주먹질까지 오가지 뭐요.

철학선생　뭐라고요? 그런 일로 화를 낸단 말입니까? 세네카가 쓴 분노에 대한 논설도 안 읽어보았습니까? 인간을 사나운 짐승으로 변하게 만드는 분노보다 더 천하고 수치스러운 것이 또 어디 있겠습니까? 우리의 모든 행동은 이성이 지배해야 하지 않겠습니까?

무용선생　뭐라고요? 선생, 저자가 우리가 하는 무용과 음악을 경멸하고 욕을 하는데도 말입니까?

철학선생　현명한 사람은 어떠한 욕을 듣는다 해도 참아야 합니다. 아무리 심한 모욕을 당하더라도 참고 절제하는 것이 바로 현명하게 대처하는 자세입니다.

검술선생　이자들이 감히 내 직업과 비교를 했단 말입니다.

철학선생　그게 그렇게 화낼 일입니까? 하잘것 없는 명예나 사회적 지위 따위로 인간들이 서로 다투어야 할 필요가 있겠습니까. 우리가 서로 다를 수 있는 것은 바로 지혜와 덕으로서입니다.

무용선생　저자에게 무용은 아무리 존중해도 모자란다고 했습니다.

음악선생　난 음악은 어느 시대에나 존중되었던 학문들 중의 하나라고 했습니다.

검술선생　이자들에게 검술을 배우는 것이야말로 다른 무엇보다 훌륭하고 가장 필요한 것이라 했습니다.

철학선생 그렇다면 도대체 철학은 어떻게 되는 것입니까? 이 사람들이 정말 무례하기 짝이 없군. 예술이라 할 수도 없는 것들을 학문이라고 말하다니. 뻔뻔하고 파렴치하기는. 당신들이 하는 일은 그냥 직업일 뿐이에요. 이 가련한 검투사, 가수, 춤쟁이야!

검술선생 저런! 개똥철학자.

음악선생 이런 무례한 현학자 같으니라고.

무용선생 에라, 무식한 놈아!

철학선생 뭐라고? 이런 못된 놈들이…….

(철학선생은 그들에게 달려들고, 세 사람은 그를 마구 패고, 서로 치고받으며 나간다.)

주 르 댕 철학선생.

철학선생 비열한 놈! 빌어먹을 놈! 건방진 놈!

주 르 댕 철학선생.

검술선생 가증스러운 놈!

주 르 댕 선생들.

철학선생 파렴치한 놈!

주 르 댕 철학선생.

무용선생 무식한 놈 같으니라고!

주 르 댕 선생들.

철학선생 간악한 놈!

주 르 댕 철학선생.

음악선생 뒈져라! 이 무례한 놈아!

주 르 댕 선생들.

철학선생 사기꾼! 빌어먹을 놈! 음흉한 놈! 협잡꾼!

(그들이 나간다.)

주 르 댕　철학선생, 선생들, 철학선생, 선생들, 철학선생. 실컷들 싸워라. 내 알 바 아니야. 말리다가 괜히 옷이나 찢어질라. 저 속에 끼어들었다가 몇 대 얻어맞으면 나만 손해지.

제 4 장

철학선생, 주르댕, 하인

철학선생　(옷깃을 잘 여미면서) 자, 수업을 시작합시다.

주 르 댕　아! 선생, 저 사람들에게 봉변을 당하게 해서 죄송합니다.

철학선생　괜찮습니다. 철학자는 일을 신사적으로 처리할 줄 압니다. 저는 저들에게 유베날리스 식의 풍자시를 써 줄 것입니다. 그러면 저들이 몹시 괴로워할 테지요. 그건 그렇다 치고, 무엇을 배우고 싶으십니까?

주 르 댕　뭐든지 다 배우고 싶소. 내 소원은 박식한 학자가 되는 것이오. 어릴 적에 왜 부모님이 내게 공부를 시키지 않았는지 정말 화가 나 죽겠소.

철학선생　화낼 만합니다. 혹시 라틴어를 아신다면 '남 시네 독트리나 비타 에스트 콰지 모르티스 이마고' 라는 말을 이해하시겠지요.

주 르 댕　그렇소. 그렇지만 그냥 모른다고 치고 그게 무슨 뜻인지 설명 좀 해보시오.

철학선생　'학문 없는 인생은 죽음과도 같다' 라는 뜻입니다.

주 르 댕　그 라틴어가 맞아요.

철학선생 학문에 대한 기초 지식이 전혀 없습니까?

주 르 댕 아! 읽고 쓸 줄은 알아요.

철학선생 어디서부터 시작하는 것이 좋겠습니까? 논리학을 해 볼까요?

주 르 댕 논리학이 뭐요?

철학선생 세 가지 정신 작용을 공부하는 학문입니다.

주 르 댕 세 가지 정신 작용이 뭐요?

철학선생 첫번째, 두번째, 세번째가 있습니다. 첫번째는 일반 개념을 통해서 잘 생각하고, 두번째는 여러 범주들을 통해서 잘 판단하고, 세번째는 바르바라·셀라렌트·다리·페리오·바라리프톤(삼단논법을 암기하기 위한 시) 형상을 통해서 결론을 잘 이끌어 내는 것입니다.

주 르 댕 거참, 되게 따분한 말들이군. 논리학은 별로 마음에 안 드는데, 더 재미있는 것 좀 배웁시다.

철학선생 도덕학은 어떻습니까?

주 르 댕 도덕학?

철학선생 예.

주 르 댕 도덕학은 무엇을 가르치오?

철학선생 행복을 다루는 학문으로서, 인간이 자신의 열정을 절제하도록 가르칩니다.

주 르 댕 그것도 마음에 안 들어요. 난 원래 화를 잘 내는 사람이라 말릴 길이 없소. 화가 날 때는 실컷 화를 내야 직성이 풀리거든요.

철학선생 그렇다면 물리학을 배우겠습니까?

주 르 댕 물리학이오? 그건 또 뭡니까?

철학선생 물리학은 자연의 법칙과 물체의 특성을 설명하는 학문으로서, 원소 · 금속 · 광물질 · 돌 · 식물 · 동물들의 성질에 대해 공부합니다. 그리고 무지개 · 유성 · 혜성 · 번개 · 천둥 · 벼락 · 비 · 눈 · 우박 · 바람 · 돌풍 등, 모든 대기 현상의 원인을 가르칩니다.

주 르 댕 너무 시끄럽고 정신 사납군.

철학선생 그렇다면 도대체 배우고 싶은 것이 무엇입니까?

주 르 댕 철자법을 가르쳐 주시오.

철학선생 아주 좋습니다.

주 르 댕 그리고 다음에는 태음력을 가르쳐 주시오. 달이 언제 뜨고 언제 지는지 하는 것 말이오.

철학선생 좋습니다. 어르신의 생각대로 이 소재를 철학적으로 풀어 나가 보도록 하지요. 그러면 일의 순서에 따라, 먼저 문자의 특성과 그것을 발음하는 여러 방법들을 정확히 알아보도록 합시다. 문자는 모음과 자음으로 나누어져 있는데, 모음은 소리를 나타내기 때문에 모음이라 하고, 자음은 모음과 함께 소리를 내고 소리의 여러 가지 분절들만을 표시하도록 만들기 때문에 자음이라 합니다. 모음 또는 소리는 아 · 에 · 이 · 오 · 우, 이렇게 다섯 가지가 있습니다.

주 르 댕 그렇군.

철학선생 '아' 소리는 입을 크게 벌려서 내십시오. 아.

주 르 댕 아, 아. 그렇군.

철학선생 '에' 소리는 아래턱과 위턱을 좁혀서 내십시오. 아 · 에.

주 르 댕 아 · 에 · 아 · 에. 정말 그렇군. 거 재미있네!

철학선생 '이' 소리는 아래턱과 위턱을 더 많이 좁히고, 양쪽 입 귀퉁이를 귀 쪽으로 벌려서 내십시오. 아 · 에 · 이.

주 르 댕 아 · 에 · 이 · 이 · 이 · 이. 진짜 그러네. 학문 만세!

철학선생 '오' 소리는 턱을 벌리고, 입 귀퉁이로 윗입술과 아랫입술을 모아서 내십시오. 오.

주 르 댕 오 · 오. 바로 이거군. 아 · 에 · 이 · 오. 정말 재미있네. 이 · 오 · 이 · 오.

철학선생 입 모양은 정확히 둥글게 됩니다.

주 르 댕 오 · 오 · 오. 그렇군요. 오. 배우는 게 이렇게 기쁠 줄이야!

철학선생 '우' 소리는 이가 완전히 붙지 않도록 하면서 입술을 앞으로 내밀며 내십시오. 물론 윗입술과 아랫입술이 서로 완전히 붙지 않도록 하세요. 우.

주 르 댕 우 · 우. 완벽하군.

철학선생 입술은 뾰로통해질 때처럼 쭉 내미세요. 누군가에게 화가 났을 때나 비웃어 주고 싶을 때 이렇게 '우'라고만 하십시오.

주 르 댕 우 · 우. 정말 그러네. 진즉에 배울걸.

철학선생 내일은 자음을 공부하도록 합시다.

주 르 댕 지금 한 것만큼 재미있소?

철학선생 물론입니다. 예를 들자면, 자음 D는 혀끝을 윗니 위에 대고 발음합니다. 다(DA).

주 르 댕 다 · 다. 재밌군! 재밌어!

철학선생 'F'는 윗니를 아랫입술에 대고 발음합니다. 파(FA).

주 르 댕 파 · 파. 진짜네. 부모님이 원망스럽군.

철학선생 'R'는 혀끝을 입천장 높이까지 끌어올려서 세게 내

뱉으면, 공기가 스쳐 지나가 진동을 만들고 혀는 다시 제자리로 돌아옵니다. 라(RRA).

주르댕 르·르·라, 르·르·르·르·르·라. 정말 그렇군. 선생은 정말 유식하오! 그동안 허송 세월을 보냈으니! 르·르·르·라.

철학선생 재미있어하시니 더 자세히 설명해 드리지요.

주르댕 고맙소. 그런데 한 가지 비밀이 있소. 내 아주 고귀한 여인을 사모하여, 그녀에게 사랑의 쪽지를 써서 그 발 밑에 슬쩍 떨어뜨리고 싶은데. 선생께서 그 쪽지에 쓸 몇 마디 말을 도와 주면 어떨는지.

철학선생 좋습니다.

주르댕 멋있게 써야겠죠.

철학선생 물론입니다. 운문으로 쓰고 싶습니까?

주르댕 아니, 아니오. 운문은 아니오.

철학선생 그러면 산문으로 쓰고 싶습니까?

주르댕 아니, 운문도 산문도 싫소.

철학선생 둘 중에 하나를 택해야 합니다.

주르댕 왜 그렇죠?

철학선생 어르신, 운문이나 산문으로밖에 달리 표현할 방도가 없습니다.

주르댕 운문이나 산문밖에 없다고?

철학선생 예, 어르신. 산문이 아닌 것은 모두 운문이고, 운문이 아닌 것은 모두 산문입니다.

주르댕 그러면 사람들이 보통 말하는 것은 도대체 뭐라고 하오?

철학선생 산문입니다.

주 르 댕 뭐라고? 그러면 '니콜, 슬리퍼 좀 갖다 다오. 머리쓰개 좀 갖다 다오' 이런 말이 산문이란 말이오?

철학선생 예, 어르신.

주 르 댕 맙소사! 40년 동안 내가 한 말이 산문인지도 몰랐네. 이런 것을 가르쳐 주다니 정말 고맙소. 그건 그렇고 쪽지에는 이렇게 쓰고 싶은데. '아름다운 후작부인, 그대! 아름다운 두 눈에 이 마음 미칠 것만 같소.' 그런데 이 말을 좀더 멋있고, 근사하게 다듬었으면 좋겠소.

철학선생 그대 반짝이는 두 눈에 내 마음은 재가 되었다든지, 밤낮으로 그대 향한 이 격한 사랑에 괴로…….

주 르 댕 아니, 아니, 아니, 그렇게 말하고 싶은 것이 아니오. 그냥 아까 내가 했던 대로 '아름다운 후작부인, 그대 아름다운 두 눈에 이 마음 미칠 것만 같소'라고 하였으면 좋겠소.

철학선생 좀더 과장할 필요가 있습니다.

주 르 댕 필요 없소. 아까도 말했듯이 난 쪽지에다 그 말만 쓸 거요. 좀더 멋지게 다듬어서 말이오. 그러니까 어떻게 다듬는 것이 좋을는지를 말해 주시오.

철학선생 먼저 어르신께서 말씀하셨듯이 '아름다운 후작부인, 그대 아름다운 두 눈에 이 마음 미칠 것만 같소'라고 쓸 수도 있고, '이 마음 미칠 것만 같소. 아름다운 후작부인, 그대 아름다운 두 눈에'라고 할 수도 있고, '그대 아름다운 두 눈에, 아름다운 후작부인, 이 마음 미칠 것만 같소'라고 할 수도 있습니다. 또 '그대 아름다운 두 눈에 이 마음 미칠 것만 같소, 아름다운 후작부인' 이나, '이 마음 그대 아름다운 두 눈에, 아름다운 후작부인, 미칠 것만 같소' 라고 할 수도 있습니다.

주 르 댕　그 중에 어떤 말이 가장 좋겠소?

철학선생　어르신께서 말씀하신 '아름다운 후작부인, 그대 아름다운 두 눈에 이 마음 미칠 것만 같소' 가 가장 좋습니다.

주 르 댕　공부를 해본 적도 없는데 한방에 이런 말을 해냈다는 말이지. 정말 고맙소. 내일은 일찍 와 주시오.

철학선생　알겠습니다.

주 르 댕　뭐라고? 옷을 아직 안 가져왔다고?

하 인 2　예, 주인님.

주 르 댕　이 망할 놈의 양복쟁이, 하필이면 이렇게 일이 많은 날 기다리게 만들다니. 환장하겠군. 돌팔이 양복쟁이, 염병할 놈! 죽일 놈! 가증스런 놈! 나타나기만 해봐라. 이 고약한 놈, 개놈의 자식, 비열한 놈, 이놈을 그냥…….

제 5 장

양재사, (주르댕의 옷을 들고 들어오는) 양재 견습공, 주르댕, 하인

주 르 댕　아, 왔군! 그러잖아도 댁한테 화가 나 있던 참이오.

양 재 사　더 빨리 올 수가 없었습니다. 어르신의 옷을 짓느라 스무 명이나 되는 견습공을 썼는데도 말입니다.

주 르 댕　댁이 보내 준 비단 양말이 어찌나 작든지 그걸 신느라 아주 애를 먹었소. 벌써 코가 두 개나 나갔소.

양 재 사　너무 느슨해지겠네요.

주 르 댕　코가 자꾸 나간다면 그럴 거요. 구두까지 작아 발이 얼마나 아픈지 아시오.

양 재 사　그럴 리가 없는데요, 어르신.

주 르 댕　뭐요? 그럴 리가 없다고?

양 재 사　예, 발이 아플 리가 없는데요.

주 르 댕　내가 발이 아프다는데 무슨 소리오?

양 재 사　그렇게 생각하시는 거죠.

주 르 댕　아프니까 아프다고 생각하지. 당연하지 않소?

양 재 사　자, 이 훌륭하고 멋진 궁중 예복 좀 보십시오. 너무 어둡지도 않고 점잖게 만든 훌륭한 예복이지요. 아주 솜씨 좋은 양재사들이 여섯 번이나 손질을 했습니다.

주 르 댕　이게 뭐요? 꽃을 거꾸로 달았군.

양 재 사　바로 달라는 말씀이 없으셔서.

주 르 댕　그렇게 얘기를 해야만 하는 거요?

양 재 사　물론이지요. 귀족들은 다 그렇게 하는데요.

주 르 댕　귀족들이 꽃을 거꾸로 단다는 말이오?

양 재 사　예, 어르신.

주 르 댕　그렇다면 그대로 두는 것이 좋겠군.

양 재 사　원하신다면 바로 달아 드리지요.

주 르 댕　아니오, 괜찮소.

양 재 사　말씀만 하십시오.

주 르 댕　괜찮소. 아주 잘 만들었소. 그런데 이 옷이 나한테 잘 어울릴까?

양 재 사　어울리다마다요. 어떤 화가도 이보다 더 정확히 어르신을 그려내지는 못할 것입니다. 이 짧은 바지는 솜씨가 세계 으뜸인 양재사가 만들었고, 이 윗저고리는 이 시대 최고 일인자가 만들었지요. 둘 다 제 밑에서 일하고 있답니다.

주 르 댕　가발과 깃털장식은 잘되었소?

양 재 사　잘되었습니다.

주 르 댕　(양재사의 옷을 바라보면서) 아하! 그 옷은 지난번 내게 만들어 준 바로 그 옷감이로군. 금방 알아볼 수 있지.

양 재 사　옷감이 너무 좋아서 한 벌 해입었습니다.

주 르 댕　그렇다고 내 옷감으로 만들어 입으면 안 되지.

양 재 사　옷을 입어 보시겠습니까?

주 르 댕　그러지요. 주시오.

양 재 사　잠깐만요. 이 옷은 그냥 입으시면 안 됩니다. 박자를 맞춰 입혀 드리기 위해 사람들을 데리고 왔지요. 이런 옷은 예식을 갖춰 입어야 합니다. 자, 들어들 와라. 이쪽으로, 귀족들에게 하는 식으로 이분께 이 예복을 입혀 드려라.

(4명의 양재 견습공이 들어와서 둘은 주르댕의 짧은 바지를 벗기고, 다른 둘은 짧은 윗옷을 벗긴 다음 새옷으로 갈아입힌다. 주르댕은 그들 사이를 거닐며 자신의 옷이 잘 어울리는지 보여 준다. 모두 관현악 박자에 맞춰 움직인다.)

견 습 공　나리……. 저희들에게 얼마간의 팁을 좀 주시지요.

주르댕 뭐라고 불렀느냐?

견습공 나리라고 불렀습니다.

주르댕 '나리!' 귀족 차림을 하니까 귀족이 되는군. 계속 상놈 차림만 하고 있으면 '나리'라고 부르지도 않을 거야. 자, '나리'라고 부른 대가다.

견습공 각하, 대단히 감사합니다.

주르댕 '각하!' 오, 오! '각하!' 잠깐만 기다리게. '각하'라는 말은 무언가를 받을 만하지. '각하'는 예사말이 아니거든. 자, 각하가 주는 것일세.

견습공 각하, 저희 모두 전하의 건강을 위하여 축배를 들겠습니다.

주르댕 '전하!' 오, 오, 오! 잠깐만, 가지들 말게. 내게 '전하'라고 했겠다. 맙소사, 폐하까지 간다면 지갑째 털리겠군. 자, 전하라고 부른 대가다.

견습공 각하, 저희는 전하의 이렇듯 후한 덕에 진심으로 감사드릴 따름입니다.

주르댕 다행이군. 하마터면 다 털릴 뻔했네.

(4명의 견습공들이 기뻐 춤을 춘다. 이 춤이 두번째 막간극이 된다.)

제 3 막

제 1 장

주르댕, 하인들

주르댕 시내로 옷자랑하러 가니 따라들 와. 특히 너희들이 내 하인이라는 걸 사람들이 잘 알 수 있도록 둘 다 내 뒤를 바짝 따라야 한다.

하인들 예, 나리.

주르댕 니콜을 불러 와. 당부할 것이 있으니. 그냥 있거라. 니콜이 저기 오는구나.

제 2 장

니콜, 주르댕, 하인들

주르댕 니콜!

니콜 왜요?

주르댕 들어 봐.

니콜 히히히히히.

주르댕 왜 웃어?

니콜 히히히히히.

주르댕 이런 망아지 같으니, 왜 이러는 거야?

니콜 히히히, 정말 우스운 꼴을 하고 계시네요. 히히히.

주르댕 뭣이 어째?
니 콜 아유! 저런! 히히히히히.
주르댕 이런 못된 년 봐라! 나를 비웃어?
니 콜 아니에요, 주인님. 그럴 리가 있나요, 히히히히히히.
주르댕 그렇게 자꾸 웃다가 한방 맞는 수가 있어.
니 콜 주인님, 참을 수가 없어요. 히히히히히히.
주르댕 그만 웃지 못해?
니 콜 죄송해요, 주인님. 주인님의 모양새가 하도 우스우니까, 도대체 웃음을 참을 길이 없네요. 히히히.
주르댕 이걸…….
니 콜 용서하세요, 히히히히.
주르댕 저걸, 한 번만 더 그렇게 웃다간 귀싸대기 날아갈 줄 알아.
니 콜 예, 알았어요. 이제 됐어요. 더 이상 안 웃을게요.
주르댕 조심해. 오후에 청소를 해야 하는데…….
니 콜 히히.
주르댕 청소를 말끔히…….
니 콜 히히.
주르댕 거실 청소를 하고…….
니 콜 히히.
주르댕 또 웃어!
니 콜 주인님, 실컷 웃을 테니 차라리 때려 주세요. 그게 더 낫겠어요, 히히히히히.
주르댕 미치겠군.
니 콜 제발, 주인님. 웃게 내버려두세요, 히히히.
주르댕 확 쥐어…….

니 콜 주인님, 터질 것 같아요. 웃지 않으면, 히히히.

주르댕 이런 고약한 년은 처음 보겠네. 당부하는 말은 듣지도 않고, 버르장머리 없게 웃기나 해?

니 콜 제가 어떻게 해야 된다고요, 주인님?

주르댕 망할 년, 오후에 손님이 오시니까 집안 청소 말끔히 해놓는 것 잊지 않도록 해.

니 콜 아이고 맙소사! 웃음이 확 달아나네. 주인님 손님들은 한결같이 집안을 엉망으로 만들어 놓으셔서, 손님이란 말만 들어도 그만 기분이 잡쳐 버려요.

주르댕 너 때문에 내 집 문을 걸어잠그란 말이냐?

니 콜 적어도 몇 분에게는 그렇게 하셔야 해요.

제 3 장

주르댕 부인, 주르댕, 니콜, 하인들

부 인 아이고! 또 새로운 문제가 생겼군. 여보, 도대체 그 꼴이 뭐예요? 그런 우스꽝스런 옷차림으로 사람들을 웃기려는 거예요? 아니면 사람들의 놀림거리가 되고 싶은 거예요?

주르댕 멍청한 연놈들이나 나를 놀리겠지.

부 인 하긴 이제 와서 새삼스런 일도 아니죠. 당신이 세상 사람들의 웃음거리가 된 게 어제 오늘 일인가요.

주르댕 대체 세상 사람들이란 누구요?

부 인 당신보다 더 분별력 있고, 더 똑똑한 사람들 말이에요. 당신이 벌이고 다니는 일 때문에 정신 사나워 죽겠어요. 여기가 우리 집인지 아닌지도 모르겠고, 사람들이 매일같이 사육제를 지내는 줄 알겠어요. 아침부터 야단법석을 떨고, 바이올린 소리며 노래 소리가 들릴까 걱정해야 하니 이웃사람들이 짜증나지 않겠어요.

니 콜　마님 말씀이 옳아요. 저도 주인님이 초대한 손님들이 널부러뜨려 놓아서 어떤 일을 어떻게 해야 할지 모르겠어요. 사방에서 진흙을 묻혀 가지고 오지를 않나, 불쌍한 프랑수아즈가 매일 어김없이 진흙을 묻혀 오는 선생님들 때문에 마룻바닥을 닦느라 쓰러지기 일보 직전이라고요.

주르댕　저런. 종년 주제에 잘도 재잘거리는구나.

부 인　니콜 말이 맞아요. 재가 당신보다 훨씬 더 분별력이 있네요. 나는 정말이지 당신 나이에 그 따위 춤선생에게 무엇을 배우겠다고 그러는지 알고 싶어요.

니 콜　커다란 검술선생은 어떻고요? 집 전체가 뒤흔들릴 정도로 쿵쾅거리며 걷질 않나, 거실 바닥이 다 절단나겠더라고요.

주르댕　조용히 못해 요년아, 그리고 당신도.

부 인　꼼짝 못할 때까지 춤을 배울 작정이에요?

니 콜　누구를 죽이고 싶으신가 보지요?

주르댕　닥쳐. 둘 다 무식해 가지고. 이런 것들이 득이 되는 줄도 모르면서.

부 인　과년한 딸년 시집보낼 생각이나 하는 게 더 낫겠어요.

주르댕　좋은 상대가 나타나면 결혼시킬 생각이오. 하지만 지금은 재미있는 것들을 배우고 싶소.

니 콜　말씀을 듣다 보니 마님, 설상가상으로 오늘은 주인님께서 철학선생까지 모셨더라니까요.

주르댕　훌륭한 일이지. 난 많이 배워서 귀족들과 나란히 대화를 나누고 싶단 말이오.

부 인　조금 있으면 그 나이에 회초리를 맞으러 학교에 간다 하겠네요?

주르댕　못 갈 것도 없지. 지금이라도 당장 학교에 가서, 여러 사람들 앞에서 회초리를 맞아가며 무엇을 배우는지 알고 싶은걸!

니 콜　정말 주인님의 다리가 더 볼 만해지겠네요.

주르댕　그렇겠지.

부 인　그런 일이 집안을 관리하는 데 정말로 필요하겠어요.

주르댕　물론이지. 참으로 한심한 말들만 하는군. 이렇게 무식해서야. 혹시 지금 당신이 하고 있는 말이 무언지 아오?

부 인　나는 정말로 올바른 말을 하고 있는데, 당신이 다른 삶을 꿈꾼다는 거예요.

주르댕　그것을 말하는 것이 아니오. 지금 당신이 한 말이 어떤 말인지 묻고 있는 것이오.

부 인　내 말은 이치에 맞는 말들이고, 당신의 행동은 사리에 맞지 않다는 거지요.

주르댕　그런 말이 아니라고 했잖소. 내가 묻고 있는 것은, 지금 내가 당신하고 하는 말이 무엇이냐는 것이오.

부 인　헛소리요?

주르댕　에이, 그게 아니고. 그러니까 우리가 하고 있는 말, 지금 우리가 말하고 있는 이 언어가 무언지 아오?

부　　인　글쎄요?

주 르 댕　그것을 뭐라고 부르는지 아오?

부　　인　부르고 싶은 대로 부르겠지요.

주 르 댕　그걸 산문이라고 하는 거요. 무식하기는…….

부　　인　산문이오?

주 르 댕　그래, 산문. 운문이 아닌 것은 모두 산문이고, 산문이 아닌 것은 모두 운문이라는 것이오. 음, 이게 바로 학문이라는 것이오. 너, '우' 소리를 아주 잘할 줄 아느냐?

니　　콜　네?

주 르 댕　너는 '우' 하고 말할 때 어떻게 하지?

니　　콜　뭐라고요?

주 르 댕　어떻게 하는지 좀 보게 '우' 하고 말해 봐.

니　　콜　좋아요. '우!'

주 르 댕　뭐라고 했냐?

니　　콜　'우'라고 했는데요.

주 르 댕　그래, 하지만 너가 '우' 할 때 어떻게 했느냐고?

니　　콜　주인님이 하라는 대로 했는데요.

주 르 댕　아이고, 이런 멍청이들하고 얘기를 해야 하니 정말 끔찍한 일이군! 입술을 앞으로 내밀고, 위턱과 아래턱이 맞닿으면서 '우' 하는 거야. 잘 봐. '우!' 자, 나처럼 입을 내밀고 '우' 하는 거야.

니　　콜　잘하시네요.

부　　인　훌륭하군요.

주 르 댕　다른 것도 있어. '오' · '다' · '다' · '파' · '파.'

부　　인　대체 그게 다 무슨 말이에요?

니　　콜　무엇에 쓰이는 거죠?

주르댕　무식한 여자들하고 있으려니 울화통이 터져서 원.

부　　인　그 같잖은 사람들을 쫓아내야 해요.

니　　콜　특히 그 덩치 큰 검술선생을 쫓아내야 해요. 깨끗이 청소해 놓으면 먼지를 잔뜩 몰아 가지고 오거든요.

주르댕　그래, 그 검술선생이 그렇게 마음에 안 든단 말이지. 내가 곧 너의 그 무례함을 깨닫게 해주마. (그는 검들을 가지고 와서, 니콜에게 그 중 하나를 건넨다.) 자 시범 결투, 몸을 바로 하고. 4번 자세로 찌를 때는 이렇게 해야 하고, 3번 자세로 찌를 때는 이렇게 하는 거야. 이렇게 하면 절대 찔릴 염려가 없지. 남하고 싸울 때 상대의 행동을 안다는 게 유리하지 않겠어? 자, 나를 한 번 찔러 봐.

니　　콜　좋아요. 이렇게요?

(니콜이 주르댕을 여러 차례 찌른다.)

주르댕　침착하게, 야, 천천히 해. 망할 놈의 계집애!

니　　콜　찌르라고 했잖아요.

주르댕　그렇다고 4번 자세로 찌르기 전에 3번 자세로 찔러? 내가 방어하는 것을 기다려야 할 거 아냐.

부　　인　허황된 꿈을 꾸더니 미쳤군요. 귀족과 사귀려 들 때부터 알아봤어야 하는 건데.

주르댕　귀족과 사귀면서 판단력이 서기 시작했으니 평민들과 사귀는 것보다야 훨씬 낫지.

부　　인　그렇겠지요. 귀족과 사귀는 게 굉장히 득이 되겠지요. 그래서 당신이 열중해 있는 그 훌륭한 백작을 잘도 요리했겠구려.

주 르 댕　조용! 함부로 말하지 마오. 당신이 말한 분이 누구신지 모른단 말이오? 그분은 당신이 생각하는 것보다 훨씬 대단하신 분이오. 조정에서도 인정하고, 내가 당신과 이야기하듯 왕과 이야기하는 분이시오. 이렇게 대단한 분이 우리 집에 자주 오시고, 나를 친구라 부르며, 또한 당신과 동등하게 대해 주시니 이거야말로 영광스런 일 아니겠소? 그분이 얼마나 내게 호감을 가지고 있는지 알기나 하오? 여러 사람들 앞에서 내게 호의를 베푸니 송구스러울 지경이오.

부　　인　그렇겠지요. 당신에게 호의를 베풀겠지요. 당신에게 돈을 빌려야 할 테니.

주 르 댕　그런 분에게 돈을 빌려 준다는 것이 내게는 영광 아니겠소? 더욱이 나를 친구라고 불러 주는데 그 정도도 못하겠소?

부　　인　그분은 당신에게 뭘 해주었는데요?

주 르 댕　그것을 안다면 다들 깜짝 놀랄걸.

부　　인　그게 뭔데요?

주 르 댕　그만해요. 그것은 말로 설명할 수가 없는 것이오. 내게 빌려 간 돈은 곧 돌려 줄 거요. 그러면 되는 것 아니오.

부　　인　그걸 기대한단 말이에요?

주 르 댕　물론이지. 그분이 약속했는데.

부　　인　그래요. 그래요. 그분은 틀림없이 약속을 어길걸요.

주 르 댕　귀족의 명예를 걸고 내게 맹세하였소.

부　　인　헛소리죠.

주 르 댕　으아, 이 고집센 여편네야. 그분이 약속을 지킬 거라고 말했잖소. 틀림없단 말이오.

부 인 안 갚을 게 틀림없어요. 당신에게 잘해 주는 것은 다 당신을 속이려는 수작에 불과하다고요.

주르댕 조용히 해요! 그분이 오셨소.

부 인 조용히 할밖에 별 도리가 없겠지요. 보나마나 당신에게 또 돈을 빌리러 왔을 거예요. 보기만 해도 밥맛이 떨어지려 하네.

주르댕 조용히 하라고 했잖소.

제 4 장

도랑트, 주르댕, 주르댕 부인, 니콜

도랑트 주르댕 씨, 잘 지내셨소?

주르댕 덕분에 잘 지냈습니다.

도랑트 부인도 계셨군요. 안녕하십니까?

주르댕 안녕하다마다요.

도랑트 아니! 주르댕 씨, 옷이 아주 근사하네요.

주르댕 그렇습니까?

도랑트 옷이 아주 잘 어울립니다. 궁정에도 당신보다 더 멋진 젊은이는 없을 겁니다.

주르댕 에이, 에이.

부 인 가려운 데를 잘도 긁어 주는군.

도랑트 뒤돌아보세요. 아주 멋지네요.

부 인 앞으로 보나 뒤로 보나 한심하지.

도랑트 주르댕 씨, 정말 보고 싶었소. 나는 사교계 인사들

중 주르댕 씨를 가장 존경합니다. 그래서 오늘 아침에도 왕실에서 당신에 관한 말씀을 드렸지요.

주 르 댕　대단한 영광입니다, 백작님. (부인에게) 왕실에서 내 얘기를!

도 랑 트　자, 모자를 쓰시고…….

주 르 댕　백작님에 대한 존경의 표시입니다.

도 랑 트　저런! 모자를 쓰시지요. 우리 사이에 그런 예의를 갖출 필요가 있겠소.

주 르 댕　백작님…….

도 랑 트　자, 모자를 쓰세요. 주르댕 씨, 당신은 내 친구요.

주 르 댕　감사합니다.

도 랑 트　당신이 모자를 쓰지 않으면 나도 쓰지 않을 거요.

주 르 댕　성가시게 하느니 무례를 범하겠습니다.

도 랑 트　아시다시피 나는 당신의 채무자요.

부　　인　물론이지요. 알다뿐이겠습니까.

도 랑 트　제게 여러 번 흔쾌히 돈을 빌려 주시니 지극한 은혜에 진심으로 감사드릴 따름이지요.

주 르 댕　별 소리를 다하십니다.

도 랑 트　나는 남에게 빌린 것은 꼭 갚는 사람이오. 그리고 나를 기쁘게 해준 것에 감사할 줄도 아는 사람이오.

주 르 댕　여부가 있겠습니까.

도 랑 트　나는 당신과 함께 일을 해결하고 싶소. 그래서 같이 계산을 하려고 온 것이오.

주 르 댕　들었지? 여보, 당신이 무례했다는 것을 알겠지.

도 랑 트　나는 빌린 것은 최대한 빨리 갚는 성격이오.

주 르 댕　내가 말한 대로지.

도 랑 트 내가 얼마를 갚아야 할지 좀 보고 싶소.

주 르 댕 거봐, 당신이 터무니없이 의심했지 않소.

도 랑 트 내게 빌려 준 돈이 모두 얼마인지 기억하고 있소?

주 르 댕 예, 제가 좀 기록해 두었습니다. 보시지요. 처음엔 2백 루이를 드렸지요.

도 랑 트 맞소.

주 르 댕 그 다음엔 1백20루이.

도 랑 트 그렇소.

주 르 댕 그리고 또 1백40루이.

도 랑 트 맞소.

주 르 댕 세 번을 합하면 4백60루이죠. 리브르로 하면 5천60리브르이지요.

도 랑 트 5천60리브르 아주 정확한 계산이오.

주 르 댕 털세공인에게 1천8백32리브르.

도 랑 트 맞소.

주 르 댕 양재사에게 2천7백80리브르.

도 랑 트 그렇소.

주 르 댕 상인에게 4천3백78리브르 12솔 8드니에.

도 랑 트 좋아요. 12솔 8드니에. 정확한 계산이오.

주 르 댕 그리고 마구 제조업자에게 1천7백48리브르 7솔 4드니에.

도 랑 트 다 맞소. 모두 얼마요?

주 르 댕 전부 합하면 1만 5천8백 리브르입니다.

도 랑 트 그렇군요. 1만 5천8백 리브르라. 그러면 내게 2백 피스톨을 더 빌려 주면 꼭 1천8백 프랑이 되겠군요. 내 곧 갚아 주겠소.

부 인 그래, 내 그럴 줄 알았어.

주르댕 쉿!

도랑트 빌려 줄 형편이 안 되나 보지요?

주르댕 아닙니다.

부 인 당신이 봉인 줄 아는 모양인데.

주르댕 입 좀 다물어요.

도랑트 형편이 안 된다면 다른 데를 알아보겠소.

주르댕 아닙니다, 나리.

부 인 당신이 파산하는 꼴을 봐야 시원할 거예요.

주르댕 입 다물라고 하지 않았소.

도랑트 곤란하다면 말을 해주시오.

주르댕 그럴 리가 있겠습니까.

부 인 정말 사기꾼이네.

주르댕 글쎄 가만히 있으라니까.

부 인 마지막 한푼까지 뜯어갈 거라고요.

주르댕 잠자코 있으라니까.

도랑트 돈을 빌려 줄 사람이야 많지만, 주르댕 씨가 가장 좋은 친구이다 보니 다른 사람에게 부탁한다는 것이 어쩐지 실수하는 것 아닌가 하는 생각이 들어서요.

주르댕 저를 그렇게까지 생각해 주시니 영광입니다, 백작님. 제가 곧 해드리지요.

부 인 뭐라고요? 또 돈을 빌려 준단 말이에요?

주르댕 그럼 어떡해? 저분의 부탁을 거절하란 말이오? 오늘 아침 왕실에서 나에 대해 말했다지 않소.

부 인 그래요. 당신은 완전히 속은 거예요.

제 5 장

도랑트, 주르댕 부인, 니콜

도 랑 트 안색이 아주 안 좋아 보이시는군요. 무슨 일이라도 있습니까, 부인?

부 인 내 머리가 조막만한 줄 아시나 보지요.

도 랑 트 따님은 어디에 있죠? 통 볼 수가 없군요.

부 인 어디에 있든지 잘 있어요.

도 랑 트 따님은 잘 지내죠?

부 인 두 다리 멀쩡하니 잘 지내죠.

도 랑 트 언제 한 번 따님과 왕실에서 여는 발레나 희극 공연을 보러 오시지 않겠습니까?

부 인 물론 보고 싶지요. 우리도 아주 실컷 웃고 싶어요.

도 랑 트 부인은 아름답고 성격도 명랑하신 걸 보니 젊었을 땐 연인들이 많으셨겠어요.

부 인 맙소사, 아니 그럼 주르댕 부인이 벌써 늙어빠져 제 정신이 아니란 말인가요?

도 랑 트 오, 저런! 부인, 그게 아닙니다. 용서하세요. 부인께서 아직 젊다는 것을 잊었군요. 제가 가끔 허튼 소리를 할 때가 있어요. 무례를 용서하세요.

제 6 장

주르댕, 주르댕 부인, 도랑트, 니콜

주 르 댕 자, 정확히 2백 루이입니다.

도 랑 트　나는 완전히 당신 사람이라는 걸 잊지 마시오, 주르댕 씨. 당신에게 도움이 되도록 조정에 애써 보겠소.

주 르 댕　대단히 감사합니다.

도 랑 트　부인께서 궁중 오락을 보고 싶으시다면 가장 좋은 자리를 마련하도록 하지요.

부　　인　사양하겠습니다.

도 랑 트　(주르댕에게 낮은 소리로) 아름다운 후작부인께서 초청에 응하셨소. 저녁 무렵 이곳에 오셔서 발레를 본 연후에 식사를 하실 거요. 당신의 선물을 전하느라 아주 애를 먹었소.

주 르 댕　그런 말이라면 저쪽으로 좀 가서 하시지요.

도 랑 트　우리가 안 본 지 1주일이나 됐지요. 그래서 후작부인에게 전해 달라고 한 다이아몬드건에 관한 소식을 알리지 못했소. 어찌나 주저하시던지 아주 애를 먹었는데, 오늘에서야 겨우 받아들일 결심을 하셨소.

주 르 댕　다이아몬드를 보고서 어떻게 하셨습니까?

도 랑 트　놀라워하셨소. 내 생각이 틀리지 않는다면, 아름다운 다이아몬드로 후작부인은 당신에게 퍽 좋은 인상을 갖게 될 거요.

주 르 댕　그러길 바랍니다.

부　　인　저 사람이 오기만 하면 떨어지지 않는군.

도 랑 트　후작부인에게 선물의 값어치와 당신의 열렬한 사랑을 강조했소.

주 르 댕　백작님의 후의에 황송할 따름입니다. 저를 위해 백작님과 같은 고귀하신 분이 그런 일을 해주시니 송구스러워 몸둘 바를 모르겠습니다.

도 랑 트　농담하시오? 친구 사이에 이런 일도 못하겠소? 당신도 기회가 주어진다면 나를 위해 똑같이 해주지 않을 거요?

주 르 댕　오! 물론이지요. 아주 기꺼이 해드리지요.

부　　인　저자만 오면 아주 거북스러워!

도 랑 트　나는 친구를 도와야 할 때는 아무것도 생각지 않소. 당신이 내가 알고 지내는 후작부인에게 열정을 품고 있다고 털어놓았을 때, 내가 먼저 당신의 사랑을 돕겠다고 나서지 않았소.

주 르 댕　그랬었지요. 백작님의 후의에 정말이지 몸둘 바를 모르겠습니다.

부　　인　도무지 갈 생각을 안하지?

니　　콜　서로 잘 어울리는데요.

도 랑 트　당신은 후작부인의 마음을 사로잡는 방법을 잘 알고 있더군요. 여자들은 특히 자기를 위해서 돈을 쓰는 걸 좋아한다오. 자주 세레나데를 바치고, 꽃다발을 안기고, 물 위에서 불꽃놀이 구경도 하고, 다이아몬드도 주고, 그리고 그녀를 위해 선물도 준비하고, 이 모든 것이 그 어떤 말보다 당신의 사랑을 보다 잘 대변해 준다고 보오.

주 르 댕　그녀의 마음을 움직일 수만 있다면 못할 것이 뭐가 있겠습니까. 그렇게 황홀하고 매력적인 귀하신 분을 위해서라면 어떤 대가를 치르더라도 저로서는 영광이지요.

부　　인　무슨 말을 저렇게 하고 있는 거지? 가만히 가서 귀 좀 기울여 봐라.

도 랑 트　그러면 잠시 후에 그녀를 보면서 아늑한 기쁨을 만끽하기를. 당신의 눈이 시종일관 즐거울 거요.

주 르 댕　마음껏 자유를 누리기 위해, 마누라가 언니 집에서 저녁 식사를 하게끔 조처해 놓았지요. 저녁 식사 후 내내 그곳에 있을 겁니다.

도 랑 트　부인께서 방해할지도 모르니 잘 생각하였소. 요리사와 발레극에 필요한 모든 것은 내가 대신 지시해 놓았다오. 내가 생각해 낸 것인데, 생각대로 되기만 하면 확실히…….

주 르 댕　(엿듣고 있는 니콜을 보자 따귀를 때리며) 이런, 무례한 것, 나가! 당신도.

제 7 장

주르댕 부인, 니콜

니　　콜　엿듣다가 한 대 얻어맞았어요, 마님. 그런데 수상한 것 같아요. 무슨 일인지 모르겠지만, 마님이 있으면 안 된다는 얘기를 주고받던데요.

부　　인　남편이 의심스러웠던 건 오늘만이 아니다, 니콜. 내가 완전히 속았지. 어딘가에 여자가 있을 거야. 그게 누군지 밝혀내고야 말겠어. 그보다 내 딸 생각이나 하자. 클레옹트가 뤼실을 사랑한다는데, 너도 알고 있지? 그 사람이 마음에 드는데 원하는 게 뭔지 돕고 싶구나. 할 수만 있다면 그에게 뤼실을 시집보내고 싶은데.

니 콜 정말이지 마님, 저도 마님께서 그렇게 생각하신다니 너무 기뻐요. 마님께서 그분을 마음에 들어하시는 것처럼 전 그분의 하인이 너무 마음에 들거든요. 우리도 두 분이 결혼할 때 같이 엮이어서 결혼할 수 있다면 좋겠어요.

부 인 그럼 그 사람에게 가서 내 얘기를 전해. 우리 집 양반에게 뤼실과의 결혼 허락을 얻으려면 당장 나 좀 보잔다고.

니 콜 당장 달려갔다 올게요. 이보다 더 기쁜 심부름은 없을 거예요. 갑니다. 정말 기뻐들 할 거예요.

제 8 장

클레옹트, 코비엘, 니콜

니 콜 아! 때마침 거기들 계셨군요. 기쁜 소식을 전해 드리러 왔어요.

클레옹트 꺼져, 배신자야. 너 따위 속임수에 내가 넘어갈 것 같으냐?

니 콜 어떻게 이런 식으로 받아들이지…?

클레옹트 꺼지라고 했잖아. 이 길로 당장 달려가 네 부정한 주인에게 전해. 이 순진한 클레옹트를 기만하지 말라고 말야.

니 콜 도대체 웬 변덕이에요? 사랑하는 코비엘, 무슨 뜻인지 말 좀 해줘요.

코 비 엘 사랑하는 코비엘, 몹쓸 계집애! 얼른 내 눈앞에서 꺼져 버려, 나쁜 년. 그리고 앞으로는 아무 상관마.

니 콜 뭐라고? 너까지 나를…….

코 비 엘 어서 꺼지라고 했잖아. 앞으로 나한테 말 걸지 마.

니 콜 어머! 둘 다 왜 삐친 거지? 아가씨한테 이 사실을 알려 드려야겠네.

제 9 장

클레옹트, 코비엘

클레옹트 세상에! 나처럼 열렬하고 진실하게 사랑하는 연인을 그런 식으로 대하다니!

코 비 엘 우리 둘에게 한 짓은 너무 심했어요.

클레옹트 나는 한 여자를 위해 내가 할 수 있는 모든 열정과 애정을 쏟았어. 이 세상에서 오로지 그녀만을 사랑하고, 내 마음속엔 그녀밖에 없어. 그녀는 나의 모든 괴로움이며 갈망이며 기쁨이야. 난 그녀에 대해서만 얘기하고, 그녀만을 생각하고, 그녀만을 꿈꾸고, 그녀를 통해서만 호흡해. 내 마음은 온통 그녀 안에 살고 있어. 그런데 그런 사랑에 대한 보상이 고작 이거라니! 난 이틀 동안 그녀를 보지 못했어. 그 이틀이 내겐 2세기가 흐른 것처럼 끔찍했어. 우연히 그녀를 만났을 때, 난 보자마자 마음이 완전히 들떠서 기쁨을 감출 수가 없었지. 난 막 그녀에게 달려갔어. 그런데 그녀는 마치 한번도 본 적이 없는 것처럼 눈길도 안 주고 홱 지나가 버리지 뭐야.

코 비 엘　제 말이 그 말이에요.
클레옹트　세상에 이런 배은망덕한 소행이 또 어디 있겠어?
코 비 엘　그 못된 니콜의 소행은 또 어떻고요?
클레옹트　그토록 열렬히 희생하고 사랑하고 맹세했건만!
코 비 엘　그토록 끊임없이 찬사를 보내고 부엌일까지 도와 주고 봉사했건만!
클레옹트　얼마나 많은 눈물을 그녀의 무릎에 흘렸는데!
코 비 엘　얼마나 많은 우물물을 길어다 주었는데!
클레옹트　나보다 그녀를 훨씬 더 소중히 여겼는데!
코 비 엘　대신 꼬치를 굽느라 더위에 얼마나 애를 썼는데!
클레옹트　나를 무시하고 가버리다니!
코 비 엘　뻔뻔스레 내게서 등을 돌렸어.
클레옹트　천벌을 받아 마땅한 배신자.
코 비 엘　천만 번 따귀를 맞아도 쌀 배반자.
클레옹트　그녀를 두둔하지 않는다고 날 말릴 생각은 마.
코 비 엘　제가요? 천만의 말씀이지요.
클레옹트　날더러 그런 부도덕한 행동을 용서하라고 하지 마.
코 비 엘　염려하지 마세요.
클레옹트　아니, 네가 아무리 그녀를 변호하려 해도 아무 소용 없을 거야.
코 비 엘　그런 생각을 누가 하기나 한내요?
클레옹트　끝까지 원망하고, 그녀와의 모든 관계를 끊어 버리겠어.
코 비 엘　그렇게 하세요.
클레옹트　그 집에 드나드는 백작이 꼬드겼을 거야. 그 신분에 마음이 끌렸겠지. 내가 잘 알아. 내 명예를 위해서라도 그 절개 없는 소행을 그냥 두지 않겠어. 너가 변하면 나도 변한다고. 나를 버렸다고 자랑할 수 없을걸.

코비엘 그럼요. 저도 그렇게 생각해요.

클레옹트 내 이 원통함을 달래 줘. 내 결심이 흔들리지 않게 도와 줘. 아직도 사랑이 남아 그녀를 좋게 얘기할지도 모르거든. 너가 할 수 있는 한 그녀의 나쁜 점을 모두 말해 봐. 내가 경멸할 수 있게. 너가 보기에 그녀의 부족한 점을 모두 말해 봐. 혐오감을 느낄 정도로 말야.

코비엘 그녀로 말하자면 도련님이 그렇게 사랑하기엔 참말로 어리석고 가식적인 여자죠. 제가 보기엔 아주 하찮은 여자에 불과해요. 도련님에게 더 어울리는 여자는 얼마든지 있을 거예요. 우선 그녀는 눈이 작아요.

클레옹트 맞아, 그녀는 눈이 작아. 그렇지만 그녀의 눈은 열정으로 가득해. 아주 빛나고, 예리하고, 사람의 마음을 사로잡지.

코비엘 입이 커요.

클레옹트 그래. 그런데 다른 사람의 입에서는 볼 수 없는 우아함이 있어. 그녀의 입을 보고 있노라면 욕망이 솟아올라. 아주 매력 있는, 세상에서 가장 사랑스러운 입이야.

코비엘 키도 크지 않은 편이죠.

클레옹트 크진 않지만 보기에 좋고 맵시가 있지.

코비엘 말과 행동에 맥이 없어요.

클레옹트 맞아. 그렇지만 모두가 다 매력적이야. 몸가짐도 매력적이고, 마음속에 스며드는 알 수 없는 매력이 있어.

코 비 엘 지성으로 말하자면…….

클레옹트 아! 지성이 있어. 아주 날카롭고 섬세해.

코 비 엘 대화는…….

클레옹트 매력이 넘치지.

코 비 엘 항상 심각하잖아요.

클레옹트 너는 항상 밝고 쾌활하게 활짝 웃는 여자를 원해? 웃음이 헤픈 여자처럼 밥맛 없는 여자가 또 있을까?

코 비 엘 그렇지만 사교계 여자만큼이나 변덕스럽잖아요.

클레옹트 그건 그래. 변덕스럽지. 그 말엔 동의해. 그렇지만 아름다운 여자에게는 아주 잘 어울리지. 아름다운 여자들에게는 모든 게 허용되니까.

코 비 엘 그렇게 말씀하시는 걸 보니 계속해서 그녀를 사랑하고 싶다는 거로군요.

클레옹트 차라리 죽는 게 낫지. 내가 사랑했던 만큼 미워할 거야.

코 비 엘 그녀를 그렇듯 완벽하게 생각하고 있는데 무슨 방법으로요?

클레옹트 그러기에 내 복수심이 더욱 빛날 거야. 그렇게 아름답고 매력적이고 사랑스러운 여자를 미워하고 버리는 것으로 내 독한 마음을 보여 주고 말 거야. 그녀가 오는군.

제 10 장

클레옹트, 뤼실, 코비엘, 니콜

니　　콜　전 너무너무 화가 났어요.

뤼　　실　니콜, 그것 때문일 거야. 내가 말했잖아. 저기 있네.

클레옹트　그녀하고는 말도 하고 싶지 않아.

코 비 엘　저도 그래요.

뤼　　실　도대체 왜 그래요, 클레옹트?

니　　콜　왜 그래, 코비엘?

뤼　　실　왜 그렇게 시무룩해 있어요?

니　　콜　왜 기분이 나쁜 거야?

뤼　　실　벙어리가 됐어요, 클레옹트?

니　　콜　말을 잃었어, 코비엘?

클레옹트　나쁜 사람!

코 비 엘　배신자!

뤼　　실　아까 만났던 것 때문에 마음이 혼란스럽군요.

클레옹트　허! 자기가 한 짓을 알고 있군.

니　　콜　오늘 아침에 우리가 모른 체해서 화가 났구나.

코 비 엘　알아차렸군.

뤼　　실　클레옹트, 그래서 화가 난 거지요?

클레옹트　그래요, 배신자. 이 말은 꼭 해야만 하겠소. 당신의 그런 행동은 자랑거리가 못될 거요. 내가 먼저 당신과의 관계를 끊어 버릴 테니까. 그러니 당신이 나를 버렸다고 자랑할 수 없을 거라는 말이오. 물론 당신에 대한 사랑을 극복하기가 힘들겠지. 슬프고, 한동안 고통스럽겠지. 그렇지만 이겨 나갈 거요. 당신에게 돌아가려는 약한 마음을 갖느니 차라리 내 심장을 찌를 거요.

코 비 엘　나도 마찬가지야.

뤼 실 정말 아무것도 아닌 일로 소란을 피우는군요. 클레옹트, 오늘 아침 왜 당신을 피했는지 말할게요.

클레옹트 아니오. 아무 소리도 듣고 싶지 않아요.

니 콜 우리가 왜 그렇게 빨리 지나쳤는지 얘기해 줄게.

코비엘 아무것도 듣고 싶지 않아.

뤼 실 오늘 아침에…….

클레옹트 듣고 싶지 않다고 했잖소.

니 콜 알아야 해.

코비엘 필요 없어, 배신자.

뤼 실 들어 봐요.

클레옹트 상관 없소.

니 콜 들어 보라니까.

코비엘 안 들려.

뤼 실 클레옹트.

클레옹트 안 듣겠소.

니 콜 코비엘.

코비엘 안 들린다니까.

뤼 실 가지 말아요.

클레옹트 뻔한 얘기지.

니 콜 내 말 좀 들어 봐.

코비엘 안 들어노 뻔해.

뤼 실 잠깐만요.

클레옹트 필요 없소.

니 콜 잠깐만 참고 들어 봐.

코비엘 놀고 있네.

뤼 실 한 마디만요.

클레옹트 아니, 이미 끝났소.

니 콜 한 마디만.

코비엘 이젠 끝이야.

뤼 실 좋아요. 내 말을 듣고 싶지 않다니 당신 마음대로 생각해요. 좋을 대로 하라구요.

니 콜 너도 듣고 싶지 않다고 했으니까, 이제 네 마음대로 생각해.

클레옹트 도대체 왜 그랬는지 알고 싶소.

뤼 실 더 이상 말하고 싶지 않아요.

코비엘 얘기 좀 해봐.

니 콜 나도 더 이상 너한테 말하고 싶지 않아.

클레옹트 말해 봐요.

뤼 실 아무 말도 하고 싶지 않아요.

코비엘 말해 줘.

니 콜 아무 얘기도 하기 싫어.

클레옹트 제발, 부탁이오.

뤼 실 아무 말도 하고 싶지 않다고 했잖아요.

코비엘 부탁이야.

니 콜 일 없어.

클레옹트 제발.

뤼 실 놔요.

코비엘 이렇게 간청할게.

니 콜 저리 가.

클레옹트 뤼실.

뤼 실 싫어요.

코비엘 니콜.

니　　콜　싫어.
클레옹트　하나님의 이름으로!
뤼　　실　말하고 싶지 않아요.
코 비 엘　말해 줘.
니　　콜　절대로 말 안해.
클레옹트　내 의혹을 풀어 줘요.
뤼　　실　싫어요. 말하지 않을 거예요.
코 비 엘　내 마음을 위로해 줘.
니　　콜　그렇게 하고 싶지 않아.
클레옹트　좋아요. 당신이 조금도 나의 고통을 덜어 주려 하지 않고, 내 사랑을 배신한 파렴치한 행위를 조금도 변명하려 들지 않으니, 나를 보는 게 이것이 마지막인 줄 알아요. 당신을 멀리 떠나 사랑의 고통으로 죽어 버릴 거요.
코 비 엘　나도 주인님을 따를 거야.
뤼　　실　클레옹트.
니　　콜　코비엘.
클레옹트　왜요?
코 비 엘　뭐?
뤼　　실　어딜 가겠다고요?
클레옹트　내가 말한 대로요.
코 비 엘　죽으러 가요.
뤼　　실　죽으러 간다고요, 클레옹트?
클레옹트　그래요. 잔인한 사람. 당신이 그걸 원하지 않소.
뤼　　실　뭐라고요? 내가 당신이 죽길 바란다고요?
클레옹트　그래요. 당신이 원하는 것이잖소.

뤼 실 누가 그런 말을 해요?

클레옹트 내 의혹을 풀어 주고 싶지 않으니 그게 죽기를 원하는 것 아니오.

뤼 실 내 잘못이라고요? 당신이 내 말을 들으려고 했다면 내가 말하지 않았을까요? 당신이 괴로워하는 오늘 아침의 사건은 나이 든 아주머니 때문이었어요. 그 분은 여자가 남자 가까이 있기만 해도 너무나 말이 많아요. 마치 모든 남자들이 악마라도 되는 듯이 멀리해야 된다며 끊임없이 설교를 하려 들어요.

니 콜 바로 그 일 때문이었어요.

클레옹트 나를 속이는 것은 아니죠, 뤼실?

코 비 엘 참말이지?

뤼 실 진실이에요.

니 콜 사실 그대로야.

코 비 엘 그랬었군.

클레옹트 아! 뤼실, 당신의 말 한 마디로 마음이 이렇게 편해지다니! 사랑하는 사람을 믿는 건 참으로 쉬운 일이야.

코 비 엘 저런 여우 같은 게 사람을 이렇듯 쉽게 얼러대다니!

제 11 장

주르댕 부인, 클레옹트, 뤼실, 코비엘, 니콜

부 인 이렇게 만나게 되어 기쁘군요. 마침 잘 왔어요. 남편이 이리로 올 거예요. 그이에게 뤼실과의 결혼을 청해 보세요.

클레옹트 아! 그 말씀을 들으니 마음이 한결 놓이고 희망이 생깁니다. 제가 이렇듯 즐거운 분부를 받아도 되는지, 이렇듯 소중한 은혜를 받아도 되는지 모르겠습니다.

제 12 장

주르댕, 주르댕 부인, 클레옹트, 뤼실, 코비엘, 니콜

클레옹트 어르신, 오래 전부터 깊이 생각하던 바를 말씀드리기 위해 이렇게 직접 찾아뵙게 되었습니다. 저와 관련된 일인 만큼 제가 직접 말씀드리겠습니다. 솔직히 말씀드리자면, 어르신의 사위가 되는 영광을 제게 베풀어 주셨으면 합니다.

주 르 댕 대답하기 전에 자네가 귀족인지 아닌지 말해 주게.

클레옹트 어르신, 대부분의 사람들이 이런 질문을 받으면 많이 망설이지 않습니다. 그냥 한 마디로 거침 없이 말합니다. 아무 거리낌 없이 귀족이라는 신분을 취하고, 오늘날엔 귀족이라 사칭하여 도둑질을 정당화하기까지 합니다. 저는 이런 문제에 좀더 예민한 편입니다. 신사는 어떤 속임수를 써서도 안 된다고 봅니다. 타고난 신분을 속이고, 세상 사람들에게 도용한 직함을 과시하고, 실제로 그렇지 않으면서 그런 것인 양 내보이고 싶어하는 것은 비열한 짓입니다. 저희 부모님은 훌륭한 공직에 계셨던 분입니다. 저 역시 6년간 군에 근무했었고, 사회에서 보통의 신분을 지

니는 것만으로도 만족합니다. 다른 사람들이 저와 같은 입장이라면 귀족이라고 주장할 수도 있겠지만, 저는 이런 것으로 귀족이라 칭하고 싶지는 않습니다. 솔직히 말씀드리자면 저는 귀족이 아닙니다.

주 르 댕 자, 그렇다면 내 딸을 줄 수가 없네.

클레옹트 왜죠?

주 르 댕 자네가 귀족이 아니라고 하니 내 딸을 줄 수가 없네.

부 인 귀족이라는 게 대체 무슨 의미가 있어요? 우린 뭐 성 루이 출신이라도 된단 말이에요?

주 르 댕 조용히 해요. 내가 당신 속셈을 모를 줄 알고.

부 인 우리 두 집안 모두 상업에 종사하는 서민이잖아요?

주 르 댕 그만해!

부 인 당신의 아버지도 우리 아버지처럼 상인이었잖아요?

주 르 댕 저런 망할 놈의 여편네! 당신의 아버지가 상인이었다니 안된 일이오. 그러나 내 아버지는 아니오. 그렇게 말하는 자들이 지각 없는 자들이지. 내가 하고 싶은 말은 귀족을 사위로 삼고 싶다는 거요.

부 인 당신 딸에게 적당한 배우자이어야지요. 우리 딸에겐 비렁뱅이에 못생긴 귀족보다 부유하고 잘생긴 사람이 더 어울려요.

니 콜 맞아요. 우리 동네에 귀족 아들이 있는데 아주 버르장머리 없고, 세상에 그런 바보 천치는 없더라고요.

주 르 댕 입 닥쳐, 무례한 것 같으니! 어른이 말하는데 꼭 끼어들어. 나도 딸애를 위해서라면 돈은 얼마든지 있어. 난 명예가 필요할 뿐이야. 난 내 딸을 후작부인으로 만들고 싶어.

부 인 후작부인이라고요?

주르댕 그렇소, 후작부인.

부 인 하나님 맙소사!

주르댕 이미 결정한 일이야.

부 인 그 일에 찬성할 수 없어요. 자기보다 신분이 높은 사람과 결혼하면 항상 불쾌한 일이 생기게 마련이에요. 그런 사위는 딸 앞에서 우리를 업신여기고, 애들도 내가 할머니라는 사실을 수치스럽게 생각할 거예요. 난 그런 사위는 보고 싶지 않아요. 내 딸이 귀부인 차림으로 나를 보러 와서, 동네 사람에게 인사하는 것을 잊으면 금방 말들이 많아질 거예요. '저 거만한 후작부인 좀 보세요. 주르댕 씨 딸이에요. 어릴 때 우리와 귀부인놀이할 때가 훨씬 좋았죠. 옛날엔 그렇게 지체가 높지 않았어요. 저 여자의 두 할아버지가 이노센트 성문 옆에서 옷감을 팔았었죠. 그들이 돈을 벌어 자식들에게 물려 주었는데, 지금 그들은 저세상에서 비싼 대가를 치르고 있을 거예요. 사람들은 그들이 귀족이 될 만큼 그렇게 부유하다고 생각지 못했죠.' 난 이런 험담들을 듣고 싶지 않아요. 한 마디로 내 딸을 준 것에 대해 늘 감사해하고, 나한테 '거기 앉아서 같이 식사해요' 라고 말하는 그런 사위를 보고 싶어요.

주르댕 그것이 바로 항상 천한 신분에 머무르려 하는 하층민의 생각이지. 나한테 더 이상 말하지 마. 세상 사람들이 뭐라 해도 내 딸은 후작부인이 될 거요. 당신이 더욱 화를 돋우면, 그때는 내 딸을 공작부인으로 만들 거요.

부 인 클레옹트, 아직 낙담하진 말아요. 나를 따라와요. 얘야, 네가 저분과 결혼하지 못한다면 아무하고도 결혼하지 않겠다고 네 아버지께 단호히 말씀드려라.

제 13 장

클레옹트, 코비엘

코 비 엘 멋있게 말하려다 오히려 일을 그르친 꼴이네요.

클레옹트 할 수 없지. 나도 그런 말로 설득할 수 있을 거라고 생각하진 않았어.

코 비 엘 농담하세요? 그런 분을 상대로 진지한 대화를 하다니. 그분이 미친 줄 모르세요? 여태껏 그분의 공상에 맞추느라 힘들었잖아요?

클레옹트 네 말이 맞아. 하지만 주르댕 씨의 사위가 되기 위해 귀족이라는 증거를 대야 한다고는 생각지 않았어.

코 비 엘 아! 하! 하!

클레옹트 무엇이 우습지?

코 비 엘 주르댕 씨를 농락해서 도련님이 바라는 것을 얻을 수 있는 방법이 떠올랐어요.

클레옹트 뭐라고?

코 비 엘 아주 재미있는 생각이에요.

클레옹트 뭔데?

코 비 엘 최근에 들어온 가면극이 있는데, 여기 사교계에서 가장 인기를 누리고 있어요. 그 가면극을 이용해서 주르댕 씨를 놀리는 거예요. 가면극이 효과가 있을 거예요. 모든 것이 조금 연극적인 냄새가 나긴 하지만, 주르댕 씨를 상대로라면 어떤 일이든 해볼 만해요. 굳이 여러 방법을 찾을 것도 없고, 멋지게 역을 소화해서 주르댕 씨에게 편안히 온갖 말을 다할 수 있는 사람이 있어요. 배우들도 있고, 모든 의상도 다 준비되어 있으니 제게 맡겨만 주세요.

클레옹트 하지만 어떻게 할 건지 알려…….

코 비 엘 알려 드릴게요. 돌아가요. 주르댕 씨가 와요.

제 14 장

주르댕, 하인

주 르 댕 도대체 왜들 저러는 거야! 귀족이란 말만 해도 못 잡아먹어서 야단들이니. 귀족들하고 사귀는 것보다 좋은 일이 어디 있다고. 귀족들하고 있으면 명예와 예의만 따르더라. 난 손가락 두 개가 잘린다 해도 백작이나 후작으로 태어났으면 좋겠구만.

하 인 주인님, 백작님께서 귀부인을 모시고 오셨습니다.

주 르 댕 오, 저런! 지시할 것이 있다. 조금 후에 이리로 오겠다고 말씀드려라.

제 15 장

도리멘느, 도랑트, 하인

하 인 주인님께서 곧 이리로 오신다고 하셨습니다.

도 랑 트 잘됐군.

도리멘느 도랑트, 당신을 따라 알지도 못하는 사람의 집엘 다 오다니, 내가 왜 이렇듯 이상한 행동을 자꾸 하는지 모르겠어요.

도 랑 트 소문이 나니 내 집도 안 된다, 당신 집도 안 된다 하니 도대체 당신을 기쁘게 해주려면 어떤 장소를 택해야 한단 말이오?

도리멘느 하지만 당신의 엄청난 애정 표현에 내가 서서히 말려 들어간다고 생각지 않아요? 아무리 거절해도 당신은 내 거절을 무색케 만들어요. 은근히 고집불통이라 서서히 당신 뜻대로 나를 끌고 간다고요. 제게 자주 드나드시더니 고백을 하고, 세레나데를 바치고, 선물을 보내고. 한사코 거절을 해도 조금도 굴하지 않더니, 점차로 내 마음을 움직여 유리한 입장을 차지하셨군요. 결국엔 미처 대답할 겨를도 없이 전혀 생각도 없는 결혼을 당신과 하게 되겠지요.

도 랑 트 정말, 진작 그렇게 생각하셨어야 했어요. 미망인인데 무엇이 문제가 되겠어요. 나도 자유롭고 당신을 내 목숨보다 더 사랑하는데, 오늘부터라도 나를 행복하게 해줄 수는 없는 거요?

도리멘느 맙소사! 도랑트, 우리가 행복하게 살려면 양쪽 다 훌륭한 자질이 필요해요. 둘이 아무리 잘 맞는다 해도 서로 만족한 결합을 한다는 것은 쉬운 일이 아니에요.

도 랑 트 농담이시겠지요. 결혼하는 데 뭐가 그리 어렵다고 생각하시는지. 당신의 경험이 다른 사람들에게도 똑같이 적용되는 것은 아니오.

도리멘느　어쨌든 당신이 나 때문에 돈을 많이 지출하니, 난 늘 두 가지 점이 불안해요. 하나는 내가 원치 않는 상황에 더욱 빠져 들어가는 게 그렇고, 또 하나는 당신을 불쾌하게 만들고 싶진 않지만 당신이 그 돈을 마련하는 데 무척 힘들었을 거라는 사실이에요. 난 조금도 그런 것 따윈 원치 않아요.

도 랑 트　그것들은 몇 푼 안 되는 거예요. 그리고 그것은…….

도리멘느　나도 알아요. 특히 어쩔 수 없이 받긴 하였지만, 꽤 비싼 다이아몬드…….

도 랑 트　아! 제발, 내 사랑에 비하면 아무것도 아닌 물건에 대해 자꾸 그렇게 거론하지 마세요. 용서하세요. 집주인이 오는군요.

제 16 장

주르댕, 도리멘느, 도랑트, 하인

주 르 댕　(두 번 절을 하고 난 뒤, 도리멘느에게 아주 가까이 다가가서) 조금만 뒤로 가주세요, 부인.

도리멘느　뭐라고요?

주 르 댕　한 발짝만 뒤로 가주세요.

도리멘느　도대체 왜 그래요?

주 르 댕　세번째 동작을 해야 하니 조금만 물러나 주세요.

도 랑 트　주르댕 씨는 예의를 아는 분이지요, 부인.

주 르 댕　이렇게 와주시니 너무도 큰 영광입니다. 친절하게도 저희 집에 오시는 영광을 제게 베풀어 주시니 참으로 기쁘고 행복합니다. 제가 부인의 공덕에 어긋나지 않는 공덕이 있다면, 그저 하늘이…… 베풀어 준 …… 남들이 부러워하는 재산을…… 제가 받을 만한 특권을…….

도 랑 트　주르댕 씨, 그만하면 됐소. 부인께서는 과장된 인사를 좋아하지 않소. 부인은 당신이 재치 있는 사람이라는 걸 알고 있을 거요. (낮은 소리로 도리멘느에게) 보시다시피 하는 짓이 우스꽝스러운 선량한 시민이지요.

도리멘느　금방 알아차릴 만하네요.

도 랑 트　저의 제일 좋은 친구입니다, 부인.

주 르 댕　과분한 영광입니다.

도 랑 트　아주 멋진 신사죠.

도리멘느　존경합니다.

주 르 댕　부인, 그런 말씀을 들을 만큼 아직 아무것도 한 일이 없습니다.

도 랑 트　(낮은 소리로 주르댕에게) 당신이 준 다이아몬드에 대한 얘기는 일절 하지 마시오.

주 르 댕　다이아몬드가 어땠는지만 물어보면 안 될까요?

도 랑 트　뭐요? 그런 소리를 하면 안 돼요. 그것은 저속한 행동이오. 신사답게 행동하려면 당신이 준 것이 아닌 것처럼 행동해야 하오. 부인, 주르댕 씨가 집에 와주셔서 참으로 기쁘다고 하는군요.

도리멘느　영광입니다.

주 르 댕 저를 위해 부인께 그렇게까지 말씀해 주시니 감사합니다, 나리.

도 랑 트 이리로 모시고 오느라 무척 힘들었소.

주 르 댕 어떻게 감사해야 할지 모르겠습니다.

도 랑 트 부인, 주르댕 씨가 당신 같은 미인은 세상에서 본 적이 없다고 합니다.

도리멘느 그렇게 말씀하여 주시니 감사합니다.

주 르 댕 부인, 제가 감사를 드려야지요.

도 랑 트 식사를 해야지요.

하 인 식사 준비되었습니다, 주인님.

도 랑 트 식사하러 갑시다. 악사를 불러 오시오.

(향연 준비를 하는 6명의 요리사가 함께 춤추며 세번째 막간극을 만든다. 그런 후에 그들은 여러 가지 요리가 놓인 식탁을 들고 나온다.)

제 4 막

제 1 장

도리멘느, 도랑트, 주르댕, 남가수 2명, 여가수 1명, 하인

도리멘느 어머나, 도랑트? 정말로 진수성찬이네요.

주 르 댕 별거 아닙니다, 부인. 부인에게 더 잘 어울리는 대접을 해야 하는 건데.
(모두들 식탁에 앉는다.)

도 랑 트 주르댕 씨 말이 맞아요, 부인. 고맙게도 주르댕 씨가 자신의 집에서 부인을 아주 정중히 모시겠노라고 했지요. 주르댕 씨 말대로 부인께 더 근사하게 대접해야 하는데. 제가 음식을 지휘하긴 했지만 요리사 친구들의 조리법을 모르니, 여기에서는 부인께서 제대로 된 식사를 하진 못하겠지요. 맛이 변변치 않다든지 부족한 점들도 발견되실 겁니다. 다미스가 있었더라면 모든 것이 격식에 맞았을 텐데. 곳곳에서 우아함과 박식함을 발견할 수 있었겠지요. 그는 나오는 요리마다 틀림없이 부인에게 자세히 설명하며, 맛있는 음식에 대한 지식으로 자신의 능력을 인정받으려 했을 겁니다. 황금빛이 도는 빵 옆면의 껍질을 뜯어 입에 넣으면 바삭바삭 소리를 내는 리브 빵에 대한 얘기라든지, 너무 진하지 않은 부드러운 향의 포도주라든지, 파슬리를 뿌린 양고기라든지, 이 정도

로 길고 하얗고 부드러운, 씹으면 아몬드 페이스트처럼 되는 송아지의 등심이라든지, 놀라운 향을 내는 자고새 요리라든지, 그리고 그의 걸작품으로 진주빛이 도는 수프와, 새끼 칠면조에 네 귀퉁이에 새끼비둘기를 곁들이고, 그 위에 하얀 양파와 치커리로 장식한 요리에 대해서도 얘기하겠지요. 그렇지만 전 요리에 대해 아는 것이 없으니, 주르댕 씨 말대로 당신에게 좀더 어울리는 식사를 대접하고 싶다는 거지요.

도리멘느 그렇게 말씀하시니 맛있게 먹는 것으로 대답할 수밖에 없겠군요.

주 르 댕 아! 손이 참으로 아름다우십니다.

도리멘느 그냥 평범한 손이에요, 주르댕 씨. 당신은 다이아몬드에 대해서 말씀하시려는 거지요. 정말 멋져요.

주 르 댕 제가요, 부인? 절대로 그것에 대해 말하려는 것이 아니에요. 그건 신사가 취할 행동이 아니지요. 다이아몬드는 대단한 것이 아니에요.

도리멘느 주르댕 씨는 정말로 까다로우시군요.

주 르 댕 부인은 너무나 친절하십니다.

도 랑 트 자, 주르댕 씨에게 포도주를 드리세요. 그리고 권주가를 들려 줄 분들에게도.

도리멘느 음악을 곁들이면 음식 맛이 한층 더하겠군요. 이렇게 근사한 대접을 받다니.

주 르 댕 부인, 별거 아…….

도 랑 트 주르댕 씨, 조용히 이분들이 준비한 것을 듣도록 합시다. 우리가 얘기하는 것보다 훨씬 나을 거요.

(오케스트라의 연주와 함께 가수들이 잔을 들어 권주가 두 곡을 부른다.)

(첫번째 권주가)
연회를 시작하기에 앞서 우선 한 잔 하시오, 필리스.
아! 그대 손에 쥔 술잔이 얼마나 기분 좋은 유혹인지!
그대와 술, 서로가 힘을 합하니,
내 사랑이 배가됨을 느끼네.
나의 연인이여, 그대와 나,
술을 사이에 두고 맹세합시다,
영원한 사랑을.
그대 입술 술에 젖어 매력을 더하니,
그대 입술 술로 더욱 아름다워지네!
아! 술과 그대 입술이 내 욕망을 부추기니
그대와 술에 맘껏 취하도다.
나의 연인이여, 그대와 나,
술을 사이에 두고 맹세합시다,
영원한 사랑을.

(두번째 권주가)
마시세, 친구들, 마시세.
흐르는 세월이 우리를 이곳에 초대하니,
즐길 수 있는 한
인생을 즐겨 보세.
황천강을 지나고 나면

맛있는 술도, 우리의 사랑도 안녕이니
어서 마시세, 언제나 마실 수 있는 것이 아니라네.

인생의 참행복은
바보들이나 따지게 내버려두세.
우리의 철학은
행복이 술단지 속에 있다는 것.
재물 · 지식 · 명예도,
인생의 근심거리를 제거할 수 없네.
그러니 행복해지려면
마시는 수밖에 없네.
자, 자, 어서 마시세. 술을 따르라,
따르라, 계속 따르라, 그만두라 할 때까지.

도리멘느 노래를 썩 잘 부르네요. 아주 훌륭해요.

주 르 댕 아직 더 멋진 것이 남아 있습니다, 부인.

도리멘느 어머나! 주르댕 씨는 생각했던 것보다 더 고상하시네요.

도 랑 트 뭐라고요, 부인? 주르댕 씨를 어떻게 생각하신다고요?

주 르 댕 부인께서 저를 제가 하는 말대로만 인정해 주시기를 바랍니다.

도리멘느 어머나!

도 랑 트 부인은 주르댕 씨를 잘 모르십니다.

주 르 댕 언제든지 좋으실 때 저를 알게 되겠지요.

도리멘느 오! 그만두지요.

도 랑 트 항상 기술적으로 응수하는 사람입니다. 그런데 보세요, 부인. 부인이 손댄 음식마다 주르댕 씨가 따라서 먹고 있네요.

도리멘느 주르댕 씨는 정말로 재미있는 분이시네요.

주 르 댕 부인을 즐겁게 할 수만 있다면 저는…….

제 2 장

주르댕 부인, 주르댕, 도리멘느, 도랑트, 남가수, 여가수, 하인

부 인 아! 아! 여기들 모여 계셨군요. 저를 기다렸을 리는 없겠고. 여보, 도대체 이게 무슨 쓸데없는 짓이에요. 그래서 나더러 언니 집에 갔다오라고 호의를 베풀었나요? 거기서도 연극을 하나 보았는데, 여기서는 흥청거리는 연회를 보게 되네요. 나를 밖으로 내보내고 나서 부인들을 불러 연회를 베풀고, 음악을 듣고 연극을 보느라 돈을 흥청망청 써대는군요.

도 랑 트 무슨 말씀입니까, 부인? 당신 남편이 돈을 들여 이 부인에게 향연을 베풀어 준다고 생각하다니, 무슨 그런 터무니없는 상상을 하시오? 이 향연은 제가 연 것입니다. 당신 남편은 단지 집을 빌려 준 것뿐이오. 부인께서는 좀더 잘 알아보신 뒤에 말씀을 하셔야 되지 않겠습니까?

주 르 댕 맞아요. 예의 없게시리, 지체 높으신 부인께 이 모든 것을 베푸신 분은 바로 백작님이오. 영광스럽게도 내게 집을 빌리고 함께 자리해 달라고 하셨소.

부 인　허튼 소리 그만하세요. 나도 웬만큼 알고 있으니까요.

도 랑 트　부인, 더 좋은 안경을 쓰고 보셔야겠습니다.

부 인　안경 따윈 필요 없어요. 아주 잘 보이니까요. 내가 바보인 줄 아는 모양인데, 오래 전부터 상황을 짐작했어요. 남편의 어리석은 짓에 맞장구를 치다니, 귀족이라는 양반이 참으로 야비한 짓을 하는군요. 그리고 부인, 내 남편의 사랑을 묵인해서 남의 가정에 불화를 일으키다니, 그것은 귀족부인으로서 어리석고 품위 없는 일이지요.

도리멘느　대체 이게 다 무슨 소리예요? 가요, 도랑트. 나를 속이셨군요. 내게 이런 해괴망측한 말을 듣게 하다니.

도 랑 트　부인, 이봐요! 부인, 어딜 가세요?

주 르 댕　부인! 백작님, 부인께 죄송하다고 전해 주세요. 그리고 다시 모셔 오도록 해주세요……. 으! 정말로 무례하기 짝이 없군! 당신이 무슨 짓을 했는지 알아? 모든 사람들 앞에서 날 망신시키고, 내 집에서 지체 높은 분들을 내쫓다니.

부 인　저들의 신분 따위가 무슨 대수라고.

주 르 댕　고약한 여편네, 오자마자 식사 분위기를 깨뜨려. 이 접시로 내가 머리를 깨지 않는 게 다행인 줄 알아. (식탁을 치운다.)

부 인　(나가면서) 그런다고 겁낼 줄 알아요. 나는 내 권리를 지키는 거예요. 모든 여자들이 내 편일걸요.

주 르 댕　내 화를 피하는 게 좋을 거요. 하필 그때 마누라가 올 게 뭐람. 멋진 말을 하려던 참이었는데. 내가 그렇게 재치 있었던 적은 한번도 없었는데. 저게 뭐지?

제 3 장

(변장한) 코비엘, 주르댕, 하인

코 비 엘　나를 알아보실는지 모르겠습니다.

주 르 댕　모르겠는데요.

코 비 엘　나는 당신이 아주 어렸을 때 본 적이 있지요.

주 르 댕　나를요!

코 비 엘　그렇습니다. 어릴 때는 아주 귀여워서 부인들마다 당신을 껴안고 뽀뽀를 하곤 했지요.

주 르 댕　내게 뽀뽀를 했다고요?

코 비 엘　그렇습니다. 나는 돌아가신 부친의 친구였습니다.

주 르 댕　돌아가신 아버지의 친구라고요?

코 비 엘　그렇습니다. 그분은 아주 훌륭한 귀족이었지요.

주 르 댕　뭐라고 하셨습니까?

코 비 엘　훌륭한 귀족이었노라 했습니다.

주 르 댕　아버지가요?

코 비 엘　그렇습니다.

주 르 댕　저희 아버지를 잘 알고 계십니까?

코 비 엘　물론입니다.

주 르 댕　저희 아버지를 귀족으로 알고 계신가요?

코 비 엘　물론입니다.

주 르 댕　세상이 도무지 어떻게 되어가는지 모르겠군.

코 비 엘　어째서지요?

주 르 댕　제 아버지께서 상인이었다고 말하는 멍청한 자들이 있어요.

코 비 엘　부친께서 상인이었다고요? 그건 순전히 중상모략입니다. 그분은 절대로 그렇지 않습니다. 그분이 여러 가지 일을 한 것은 너무나 친절하고, 또 남 돕는 것을 아주 좋아했기 때문입니다. 그분은 그저 옷감에 대한 조예가 깊으셔서, 사방을 다니며 옷감을 구해 와서는 그것을 필요로 하는 친구들에게 돈을 받고 주었을 뿐이랍니다.

주르댕 제 아버지께서 귀족이었다는 증언을 해주실 수 있는 분을 알게 되어 정말로 기쁩니다.

코비엘 모든 사람들 앞에서 증언해 드리지요.

주르댕 그렇게 해주신다면 정말로 감사하겠습니다. 그런데 어떻게 오셨는지요?

코비엘 훌륭한 귀족이셨던 돌아가신 당신 부친을 알고 난 후부터 난 세상을 두루 여행하였습니다.

주르댕 세상을요!

코비엘 그렇습니다.

주르댕 여기서 아주 먼 나라들을 다니셨나 보군요.

코비엘 물론입니다. 아주 긴 여행을 마치고 이곳에 온 지는 이제 사흘밖에 되지 않습니다. 당신과 관련이 있다고 생각했기 때문에 세상에서 가장 좋은 소식을 전하러 왔지요.

주르댕 무슨 소식을?

코비엘 터키 왕자께서 이곳에 오셨다는 것을 아는지요?

주르댕 제가요? 모르는 일인데요.

코비엘 모른다고요? 아주 어마어마한 행차라서 다들 그걸 보려고 몰려 나갔는데요. 그분은 이 나라에서 막강한 귀족 작위를 받았답니다.

주르댕 정말로 그걸 모르고 있었네요.

코비엘 그분께서 당신 딸을 사랑하시니, 당신에게는 더없이 영광스런 일이지요.

주르댕 터키 왕자가?

코비엘 그렇습니다. 그분은 당신의 사위가 되고 싶어하십니다.

주르댕 내 사위가 될 인물이 터키 왕자라니!

코비엘 터키 왕자님께서 당신의 사위가 되는 거지요. 나는 그분을 보러 갔다가, 터키어를 잘 안다 해서 즉석에서 대담을 하게 되었지요. 여러 가지 이야기를 하다가 왕자님께서 내게 이렇게 말씀하셨습니다. '악시암 크록 솔레 우크 알라 무스타프 지델룸 아마나헴 바라이니 우세르 카르불라트.' 이 말은 '파리 귀족인 주르댕 씨의 딸인데, 너는 그 아름다운 처녀를 본 적이 있느냐?' 라는 뜻이지요.

주르댕 터키 왕자님께서 나에 대해 그렇게 말씀하셨습니까?

코비엘 그렇습니다. 나는 당신을 특히 잘 알고 있으며, 당신의 딸도 보았노라고 대답하였지요. 그랬더니 그분이 내게 '아! 마라바바 사헴' 이라고 말씀하셨습니다. 이 말은 '아! 나는 그녀를 너무나 사랑하오' 란 말이지요.

주르댕 마라바바 사헴이 '아! 나는 그녀를 너무나 사랑하오' 란 말이라고요?

코비엘 그렇습니다.

주르댕 나한테 그 말을 해주길 정말 잘했습니다. 나는 한번도 마라바바 사헴이 '아! 나는 그녀를 너무나 사랑하오' 라는 말이라고 생각해 본 적이 없어요. 터키어는 정말 훌륭한 언어로군요.

코비엘 상상조차 할 수 없는 훌륭한 말들이 많지요. '카카라카무쌩' 이 무슨 뜻인지 압니까?

주르댕 카카라카무쌩? 모르겠는데요.

코비엘 '사랑하는 사람' 이라는 말입니다.

주르댕 카카라카무쌩이 '사랑하는 사람' 이라는 말이라고요?

코비엘 그렇습니다.

주르댕 그거 정말 희한하군! 카카라카무쌩, 이 말이 '사랑하는 사람' 이라고는 결코 생각지 못하겠죠? 당혹스럽군.

코비엘 자, 나는 내 임무를 완수해야겠습니다. 왕자님께서 당신 딸과의 결혼을 청하러 이곳으로 올 것입니다. 그리고 그분은 장인이 자신의 신분에 어울려야 하므로 당신에게 마마무쉬라는 작위를 수여할 것입니다. 이것은 그분 나라에서는 대단히 높은 지위랍니다.

주르댕 마마무쉬?

코비엘 그렇습니다, 마마무쉬. 우리 말로는 팔라댕이지요. 팔라댕이란, 옛날의 족장 출신으로…… 그러니까 팔라댕이지요. 세상에 이보다 더 귀한 지위는 없습니다. 당신은 세상에서 가장 지체 높은 귀족과 어깨를 나란히 하게 된 셈이지요.

주르댕 터키 왕자께서 이렇게 큰 은혜를 베풀다니, 나를 그분 집에 데려다 주시오. 그분께 감사하다는 인사를 해야겠습니다.

코비엘 예? 그분이 곧 이리로 오실 텐데요.

주르댕 이리로 오신다고요?

코비엘 그렇습니다. 당신의 작위식에 필요한 모든 것들을 가지고 오실 겁니다.

주르댕 정말 빠르군.

코비엘 그분의 사랑이 참지를 못하는 것입니다.

주르댕 딸애가 고집스러워서 좀 걸리네요. 머릿속에 클레옹트라는 녀석만 있으니, 그 녀석 외에 다른 사람하고는 결혼하지 않겠다는군요.

코비엘 따님도 터키 왕자를 보면 마음이 변할 것입니다. 게다가 신기하게도 터키 왕자님이 클레옹트와 거의 비슷하게 생겼지요. 방금 전에 누가 클레옹트 씨를 소개해서 보았는데, 클레옹트에 대한 따님의 사랑은 터키 왕자님에게로 쉽게 넘어갈 듯싶습니다. 그리고…… 왕자님이 오셨나 보군. 저기 오십니다.

제 4 장

(터키인으로 변장한) 클레옹트, (클레옹트의 옷을 든) 시동 3명, 주르댕, (변장한) 코비엘

클레옹트 암부사힘 오키 보라프, 요르디나, 살라말르키.

코비엘 이 말은 '주르댕 씨, 당신의 마음이 일년 내내 꽃피는 장미나무와 같기를 바랍니다' 라는 뜻이지요. 터키에서는 이런 말이 가장 정중한 표현이랍니다.

주르댕 저는 터키 전하의 보잘것 없는 종입니다.

코비엘 카리가 캉보토 우스탱 모라프.

클레옹트 우스탱 욕 카타말르게 바쑴 바즈 알라 모랑.

코 비 엘　‘하늘이 당신에게 사자 같은 힘과 뱀 같은 조심성을 주신다!’ 고 말씀하셨습니다.

주 르 댕　터키 전하께서 제게 이토록 크나큰 영광을 베풀어 주시다니, 저는 그분께 온갖 번영을 기원한다고 전해 주십시오.

코 비 엘　오싸 비나멘 싸독 바발리 오르카프 우람.

클레옹트　벨-멘.

코 비 엘　전하께서 빨리 작위식을 치르고, 당신 딸을 본 뒤에 결혼을 하겠노라고 말씀하십니다.

주 르 댕　두 단어에 그렇게 많은 뜻이 담겨 있나요?

코 비 엘　그렇습니다. 터키어는 그렇습니다. 말 몇 마디에 많은 뜻이 담겨 있지요. 자, 전하께서 원하시니 빨리 가도록 합시다.

제 5 장

도랑트, 코비엘

코 비 엘　하하하, 정말 되게 웃기는군! 감쪽같이 속아 넘어가네. 아무리 자기 역을 완전히 외었다 해도 저렇게 잘하지는 못할 거야. 아! 아! 나리, 이 집에서 벌어지고 있는 일 좀 도와 주십시오.

도 랑 트　아아 코비엘, 이렇게 변장하니 어디 알아보겠나?

코 비 엘　그렇습니까, 하하.

도 랑 트　왜 웃나?

코 비 엘　웃을 만한 일이 있습니다, 나리.

도 랑 트 그게 뭔가?

코 비 엘 나리께서는 도저히 짐작조차 하지 못할 겁니다. 주르댕 씨를 유도해서 그 따님을 저희 도련님에게 주도록 계략을 짰는데 한 번 알아맞혀 보십시오.

도 랑 트 무슨 계략인지 못 알아맞히겠군. 하지만 자네가 낸 꾀니 효과가 있을 거라는 짐작이 가네.

코 비 엘 나리께서도 우리가 노리는 게 무엇인지 알고 계시리라 믿습니다.

도 랑 트 그게 뭔지 가르쳐 주게.

코 비 엘 좀더 멀리 물러나십시오. 곧 벌어질 일에 자리를 내주어야지요. 나리께서는 이야기의 일부를 보실 수 있습니다. 나머지는 제가 말씀드리지요.

(주르댕을 귀족으로 만들기 위한 터키 의식은 음악과 무용으로 이루어지며, 이것이 네번째 막간극을 이룬다. 회교 사제, 4명의 수도승, 6명의 터키 무용수, 6명의 터키 가수, 그리고 터키 악기를 다루는 연주자들이 이 의식을 행하는 배우들이다. 회교 사제는 12명의 터키인, 4명의 수도승과 함께 마호메트에게 기도를 올린다. 그리고 나서 터번도 안 쓰고 칼도 차지 않은, 터키 복장을 한 평민(주르댕)을 사제 앞으로 데리고 온다. 사제는 그에게 다음의 말들을 노래한다.)

회교사제 스 티 사비르,
티 레스폰디르:
스 농 사비르,
타지르, 타지르.
미 스타르 무프티:

티 키 스타르 티?
농 엥텅디르:
타지르, 타지르.
(회교 사제는 같은 말로(터키어) 터키인들에게 주르댕의 종교가 무엇인지를 묻고, 터키인들은 회교라고 답한다. 회교 사제는 프랑크어로 마호메트에게 기도를 하고, 다음의 말들을 노래한다.)

회교사제 마하메타 페르 요르디나
미 프레가 세라 에 마티나:
볼레 파르 엉 팔라디나
데 요르디나, 데 요르디나.
다르 투르반타, 에 다르 스카르시나,
콩 갈레라 에 브리간티나,
페르 데펑데르 팔레스티나,
마하메타…….
(회교 사제는 터키인들에게 주르댕이 회교를 굳게 믿는지를 묻고, 그들에게 다음의 말들을 노래한다.)

회교사제 스타르 본 튀르카 요르디나?

터키인들 히 발라.
(회교 사제는 다음의 말로 춤추고 노래한다.)

회교사제 후 라 바 바 라 슈 바 라 바 바 라 다.
(터키인들도 같은 운으로 답한다.
회교 사제는 주르댕에게 터번을 주라고 하며, 다음의 말들을 노래한다.)

회교사제 티 농 스타르 푸르바?

터키인들 노, 노, 노.

회교사제　농 스타르 푸르판타?

터키인들　노, 노, 노.

회교사제　도나르 투르반타, 도나르 투르반타.

(터키인들은 주르댕에게 터번을 주기 위해 회교 사제가 말하는 모든 것을 반복한다. 회교 사제와 수도승은 의식용 터번을 쓰고 코란을 바친다. 회교 사제는 나머지 터키인들과 짧은 기도를 하고 주르댕에게 검을 주며, 다음의 말들을 노래한다.)

회교사제　티 스타르 노빌레, 에 농 스타르 파볼라.

피글리아르 쉬아볼라.

(터키인들은 모두 손에 검을 쥐고 같은 운을 반복하며, 그들 중 6명은 주르댕의 주변을 돌면서 춤을 추며 검으로 여러 번 내리치는 척한다. 회교 사제는 터키인들에게 주르댕을 지팡이로 치라고 명하며, 다음의 말들을 노래한다.)

회교사제　도라, 도라,

바스토나라, 바스토나라.

(터키인들은 같은 운을 반복하고, 박자를 맞추어 주르댕을 여러 번 지팡이로 친다. 지팡이로 치라고 한 뒤에 회교 사제는 주르댕에게 마법을 건다.)

회교사제　농 트네르 옹타.

퀘스타 스타르 룰티마 아프롱타.

(터키인들은 같은 운을 반복한다.

회교 사제는 다시 기도를 한다. 그리고 식이 끝난 뒤에 터키인들과 함께 여러 터키 악기에 맞춰 춤추고 노래 부르며 퇴장한다.)

제 5 막

제 1 장

주르댕 부인, 주르댕

부　인　오! 세상에! 맙소사! 도대체 이게 뭐예요? 이게 무슨 꼴이에요? 가상무도회에라도 나가려나 보죠? 지금이 가면 쓰고 있을 때예요? 이게 대체 뭔지 말해 보세요. 누가 당신에게 이런 괴상한 옷을 입혔어요?

주르댕　마마무쉬에게 그런 식으로 말하다니 무례하기 짝이 없군.

부　인　뭐라고요?

주르댕　지금부터는 나를 존중해야 돼. 방금 전에 마마무쉬 작위를 받았으니까.

부　인　마마무쉬가 뭔데요?

주르댕　마마무쉬, 그러니까 내가 마마무쉬요.

부　인　그게 무슨 바보 같은 소리예요?

주르댕　마마무쉬란 우리 말로 하자면 팔라댕이오.

부　인　발라댕〔어릿광대〕이라니! 그 나이에 춤을 추겠다는 거예요?

주르댕　무식하기는, 내가 팔라댕이라고 했지 발라댕이라 했소? 방금 전에 작위식에서 얻은 지위요.

부　인　도대체 무슨 작위식이지요?

주르댕　마하메타 페르 요르디나.

부 인 그게 무슨 말이죠?
주르댕 요르디나란 주르댕이란 말이오.
부 인 아니, 뭐라고요? 주르댕이라고요?
주르댕 볼레 파르 엉 팔라디나 데 요르디나.
부 인 뭐라고요?
주르댕 다르 투르반타 콩 갈레라.
부 인 그게 무슨 말이에요?
주르댕 페르 데펑데르 팔레스티나.
부 인 도대체 무슨 말을 하는 거예요?
주르댕 도라, 도라, 바스토나라.
부 인 대체 무슨 그런 말 같지도 않은 말을 하는 거예요?
주르댕 농 트네르 옹타. 퀘스타 스타르 룰티마 아프롱타.
부 인 그게 다 뭐냐고요?
주르댕 (춤추고 노래한다.) 후 라 바 바 라 슈 바 라 바 바 라 다.
부 인 하나님 맙소사! 저이가 돌았군.
주르댕 (나가면서) 조용히 해! 이 무식한 여편네야. 마마무쉬를 존경하도록 해.
부 인 돌아도 어떻게 저렇게 돌지? 저이를 밖에 나돌아다니지 못하도록 해야겠어. 아! 이제 남은 것이라고는 귀찮은 사람뿐이로구나. 어디나 슬픈 일밖에 없으니. (그녀는 나간다.)

제 2 장

도랑트, 도리멘느

도 랑 트 그럼요, 부인. 우리가 본 것 가운데 가장 재미있는 광경을 보시게 될 겁니다. 전 세상에서 그 사람만큼 미친 이를 아직 보지 못했어요. 그리고 부인, 클레옹트의 사랑을 도와 주어야 합니다. 그리고 그의 가면극을 뒷받침해 줘야 합니다. 클레옹트는 관심을 끌 만한 아주 멋진 남자이지요.

도리멘느 저도 그에 대한 거라면 많이 알고 있답니다. 복을 받아 마땅한 사람이죠.

도 랑 트 게다가 부인, 여기에 우리 마음에 드는 무용극이 있어요. 이것을 놓칠 수는 없죠. 그리고 제 생각대로 일이 잘 이루어질 수 있을지 잘 보아야 해요.

도리멘느 전 거기서 훌륭한 요리들을 보았어요. 도랑트, 그것은 더 이상 참을 수 없는 일들이에요. 그래요. 전 당신의 지나친 낭비를 막고 싶어요. 그래서 당신이 저 때문에 하는 모든 낭비를 중단시키기 위해서라도 당신과 서둘러 결혼해야겠다는 결론을 내렸어요. 그것만이 진정한 해결 방법일 테니까요. 이 모든 일들은 우리가 결혼함으로써 끝이 날 거예요.

도 랑 트 아! 부인, 저를 위해 이렇게 기분 좋은 결심을 하시다니오!

도리멘느 단지 당신의 파산을 막기 위한 것이에요. 그렇지 않으면 당신은 얼마 안 가서 한푼도 남지 않게 될 게 뻔하니까요.

도 랑 트 제 재산을 지켜 주려는 부인의 배려에 정말 감사할 따름입니다. 재산은 제 마음과 마찬가지로 전부 당신 것입니다. 당신 좋으실 대로 쓰시지요.

도리멘느　둘 다를 위해서 써야지요. 그분이 오시네요. 모습이 볼 만한데요.

제 3 장

주르댕, 도랑트, 도리멘느

도 랑 트　후작부인과 함께 나리의 새로운 작위도 축하드리고, 또 따님과 터키 왕자님의 결혼도 축하하러 왔습니다.

주 르 댕　(터키식으로 인사를 하고 난 뒤) 나리께 뱀 같은 힘과 사자 같은 신중함을 기원합니다.

도리멘느　나리께서 높은 지위에 오르시게 된 것을 맨 먼저 축하하러 오게 되어서 대단히 기쁩니다.

주 르 댕　부인, 일년 내내 활짝 핀 장미꽃 같기를 기원합니다. 저의 영광을 함께 해주시니 감사하기 이를 데 없습니다. 부인께서 이곳에 다시 오셔서, 제 아내의 터무니없는 언동에 대해 사과를 드릴 수 있게 되어 대단히 기쁩니다.

도리멘느　괜찮습니다. 부인께서 그렇게 행동하신 것은 당연합니다. 당신의 마음이 부인께는 소중하니까요. 당신같이 걱정거리를 불러일으킬 수 있는 분을 남편으로 두었으니 이해할 만해요.

주 르 댕　제 마음은 모두 당신의 것입니다.

도 랑 트　부인, 보시다시피 주르댕 씨는 성공했다고 분별력을 잃어버리는 그런 사람이 아닙니다. 신분이 높아져도 여전히 옛친구를 알아보는 사람이지요.

도리멘느 그것은 정말로 마음이 관대하다는 증거죠.

도 랑 트 그런데 터키 전하는 어디에 계시죠? 당신의 친구로서 그분께 경의를 표하고 싶습니다.

주 르 댕 저기 오십니다. 제가 그분의 청혼을 받아들이려고 딸을 데리러 보냈습니다.

제 4 장

클레옹트, 코비엘, 주르댕 등등

도 랑 트 저희는 왕자 전하의 장인이 되실 분의 친구로서 전하께 인사드리러 왔습니다. 보잘것 없지만 저희가 마음을 다해 왕자 전하를 모시겠습니다.

주 르 댕 통역관은 어디에 있지? 왕자 전하께 당신들이 누구인지 말씀드리고, 당신이 한 말을 전해야 하는데! 왕자님께서 답변을 하실 겁니다. 왕자님은 터키어를 훌륭하게 하십니다. 어휴! 이 빌어먹을 통역관이 어디로 간 거야? (클레옹트에게) 스트루프, 스트리프, 스트로프, 스트라프. 이분은 그랑드 세뇨르입니다. 그랑드 세뇨르, 그랑드 세뇨르. 에, 그리고 이 부인은 그랑다 다마입니다. 그랑다 다마. 그러니까 이분들은 프랑스의 마마무쉬입니다. 저로선 더 이상 정확하게 말씀드릴 수가 없습니다. 아, 저기 통역관이 오는군요. 도대체 어디에 갔었어요? 당신이 없으면 아무 말도 할 수 가 없잖아요. 전하께 이분들은 대단히 지체가 높으신 분들이고, 내 친구로서 인사드리러 왔다고 말씀드리세요. 그리고 이분들이 전하를 모시겠다는 말씀도 전해 주세요. 또 왕자님께서 어떻게 답변하시는지도 보도록 하세요.

코 비 엘　알라발라 크로시암 악시 보람 알라바멘.

클레옹트　카텔레키 튀발 우렝 쏘테르 아말루샹.

주 르 댕　보셨지요?

코 비 엘　왕자 전하께서는 번영의 비가 항상 당신들의 정원을 적셔 주길 바란다고 하셨습니다.

주 르 댕　제가 말했죠. 왕자 전하께서 터키어를 잘하신다고.

도 랑 트　훌륭합니다.

제 5 장

뤼실, 주르댕, 도랑트, 도리멘느 등등

주 르 댕　어서 와라, 얘야. 가까이 와서 왕자님의 청혼을 받아들이도록 해라. 영광스럽게도 네게 청혼을 하셨구나.

뤼　　실　예? 아버지, 어떻게 이러실 수가 있어요, 지금 연극하시는 거죠?

주 르 댕　아니다, 아니야, 이건 연극이 아니야. 이건 아주 중대한 일이야. 그리고 너에게는 가장 영예로운 일이지. 자, 내가 너와 맺어 주려는 배우자다.

뤼　　실　저와 맺어 주려는 배우자라고요? 아버지!

주 르 댕　그래, 너와 맺어 주려는 배우자다. 자, 왕자님의 손을 잡고 너의 행복에 대해 하늘에 감사드려라.

뤼　　실　전 결혼하고 싶지 않아요.

주르댕　너의 아버지인 내가 원하는 거다.
뤼실　하지 않을 거예요.
주르댕　왜 이렇게 잔말이 많아! 어서, 손을 이리 내거라.
뤼실　싫어요, 싫다고 말씀드렸잖아요. 클레옹트 외에 다른 사람을 남편으로 받아들일 수 없어요. 그럴 바엔 어떤 결심이라도 하겠어요. 그러니까…… (클레옹트를 알아보고서) 아버지, 역시 저의 아버지세요. 무조건 복종하겠어요. 아버지 뜻대로 하세요.
주르댕　내 뜻을 따라야 한다는 것을 그렇게 빨리 깨닫다니 기쁘구나. 말 잘 듣는 딸을 두니 좋군.

제 6 장

주르댕 부인, 주르댕, 클레옹트 등등

부인　도대체 어떻게 된 거예요? 당신이 우리 딸을 참회의 화요일(사순절 시작하기 3일 전)에 결혼시킬 거라고 하던데, 이게 무슨 일이죠?
주르댕　이 교양 없는 사람아, 조용히 좀 해! 허구한 날 온갖 일에 그렇듯 수선을 피우며 끼어드니 구제할 방법이 없군.
부인　구제 불능인 사람은 바로 당신이에요. 당신은 미쳐도 한참 미쳤어. 이렇게들 모여서 무슨 일을 꾸미는 거예요?
주르댕　우리 딸을 터키 왕자님과 결혼시키려고 하오.
부인　터키 왕자하고요?

주르댕　그렇소, 저기 통역관을 통해 왕자님께 인사를 하도록 하시오.

부　인　통역 따윈 필요 없어요. 내가 직접 얘기할 거예요. 내 딸을 절대로 줄 수 없다고 말이에요.

주르댕　거, 조용히 못하겠소?

도랑트　부인, 어째서 이런 행운을 마다하십니까? 어째서 터키 왕자 전하를 사위로 받아들이지 않으시려는 것입니까?

부　인　저런, 백작 나리, 남의 일에 참견하지 마시고, 당신 걱정이나 하시지요.

도리멘느　거절하시기엔 이건 너무나 영광스런 일이에요.

부　인　후작부인, 당신과 관계 없는 일이니 방해하지 않았으면 좋겠어요.

도랑트　우리가 당신이 잘되기를 바라는 것은 바로 당신에 대한 우정 때문입니다.

부　인　당신들의 우정 따윈 필요치 않아요.

도랑트　저기 아버지의 뜻을 따르려는 부인의 딸이 오는군요.

부　인　내 딸이 터키인과 결혼한다고 했어요?

도랑트　물론이죠.

부　인　저 애가 클레옹트를 잊을 수 있대요?

도랑트　귀부인이 되려면 무언들 못하겠습니까?

부　인　내 딸이 그런 이유로 결혼을 하겠다고 했다면 내가 기필코 막을 거예요.

주르댕　잘도 지껄여대는군. 이 결혼은 하게 돼 있어.

부　인　나는 절대로 못 시켜요.

주르댕　웬 잔말이 이렇게 많아.

뤼 실 엄마.

부 인 못된 계집애.

주르댕 아니, 얘가 내 뜻을 따른다고 책망하는 거요?

부 인 그래요. 이 아이는 당신 딸이기도 하지만 내 딸이기도 해요.

코비엘 부인!

부 인 무슨 말을 하려는 거죠?

코비엘 잠깐만요.

부 인 댁의 말 따윈 필요 없어요.

코비엘 (주르댕에게) 부인께 개별적으로 말씀드리고 싶은 게 있는데 괜찮으시다면 허락해 주십시오.

부 인 내가 허락하지 않을 거예요.

코비엘 들어만 보세요.

부 인 싫어요.

주르댕 들어 봐요.

부 인 아니오, 듣고 싶지 않아요.

주르댕 당신한테 말한다고…….

부 인 난 아무 말도 듣고 싶지 않아요.

주르댕 저런 고집쟁이 여편네를 봤나! 말 좀 듣는 게 뭐가 그리 힘들어?

코비엘 듣기만 하세요. 그리고 나서 좋으실 대로 하세요.

부 인 좋아요, 뭐죠?

코비엘 (둘이 따로 떨어져서) 마님, 한 시간 전부터 신호를 보냈었어요. 어르신의 환상에 맞추려다 보니 이렇게 변장해서 속일 수밖에요. 마님께서는 터키 왕자가 바로 클레옹트라는 사실을 정말 눈치채지 못하셨어요?

부 인 아하!

코비엘 통역관은 바로 저예요. 코비엘이오.

부 인 아! 그랬었군.

코비엘 아무것도 모르는 척하세요.

부 인 물론이지. 자, 나도 이 결혼 찬성이에요.

주르댕 이제야 모두들 제 정신을 차리는군. 들으려고도 하지 않더니만, 통역관이 터키 왕자님께서 어떤 분인지 당신한테 설명을 잘했나 보군.

부 인 통역관이 제대로 설명해 주어서 마음이 놓여요. 공증인을 부르러 보냅시다.

도랑트 정말 잘됐군요. 부인의 마음이 흡족하시도록, 그래서 바깥어른께 품었던 모든 질투도 오늘 다 사라지도록 후작부인과 저도 공증인 앞에서 결혼을 하겠습니다.

부 인 그렇게 하세요.

주르댕 제 마누라를 믿게 하려는 거죠?

도랑트 이런 거짓말로라도 부인에게 적당히 얼버무릴 필요가 있어요.

주르댕 좋아요, 좋아. 빨리 공증인을 모셔 오도록 해라.

도랑트 공증인이 와서 결혼 서약서를 작성할 동안, 터키 왕자 전하께 무용극으로 막간의 여흥을 즐기게 합시다.

주르댕 참으로 좋은 생각입니다. 자, 자리에 앉읍시다.

부 인 니콜은요?

주르댕 당신이 괜찮다면 통역관에게 주지 뭐.

코비엘 감사합니다. 세상에 이 사람보다 더 미친 이가 있다면 로마에 알리러 가야지.

(준비된 짧은 무용극으로 연극이 끝난다.)

몰리에르의 생애와 작품 연보

1622년 1월 15일	후에 몰리에르라는 이름으로 알려지게 될 장-바티스트 포클랭은, 왕실 전속 실내장식가의 아들로 파리에서 태어난다.
1631(?) - 1639(?)	몰리에르가 받은 학교교육에 관해 전해지는 자료는 없고 증언만 있다. 초등교육에 대해서는 알 수 없고, 클레르몽 중등학교에서 고전어문학을 수학한 것으로 전해진다.
1632년 5월 11일	장-바티스트 포클랭이 10세 되던 해, 그의 어머니 마리 크레세가 세상을 떠난다.
1633년 4월 11일	아버지 장 포클랭은 카트린 플뢰레트와 재혼한다.
1636년 11월 12일	카트린 플뢰레트의 죽음.
1637년 12월 14일	몰리에르는 아버지의 일을 이어받아 왕실 전속 실내장식 일을 하기로 서약한다.
1640년경	장-바티스트 포클랭은 법학을 공부하고 변호사 일을 몇 달간 하다가 그만둔다.
1642년	왕실 실내장식가로서 루이 13세를 따라 나르본 여행을 했다고 전해진다.
1643년 1월 6일	아버지 일을 이어받기를 거부한다.
6월 30일	마들렌 베자르를 중심으로 일뤼스트르-테아트르 극단을 창설한다.
9월 12일	메타이에 폼 구장을 3년간 임대 계약, 개조 작업 동안 극단은 공연차 루앙으로 간다.
10월	일뤼스트르-테아트르의 루앙 공연.
1644년 1월	일뤼스트르-테아트르의 파리 데뷔 공연.
6월 28일	무용수를 입단시키는 계약 서류에서 장-바티스트 포클랭은 처음으로 '몰리에르'라는 이름으로 서명하며, 그의 이름은 맨 첫머리에 위치한다. 그가 단장이었다

	는 의미일까?
12월 19일	메타이에 폼 구장 계약을 파기한다.
1645년 1월	일뤼스트르-테아트르는 크로아-누아르 실내 폼 구장에서 공연을 재개한다. 공연은 성공하지 못했고, 그로 인해 진 빚 때문에 몰리에르는 두 차례나 수감된다.
1645년말	몰리에르는 파리를 떠난다. 일뤼스트르-테아트르 극단은 뒤프레스느 극단과 합류한 것으로 보인다. 1645년부터 1658년까지 지방 순회 공연을 한다.
1648년	낭트.
1649년	툴루즈, 몽펠리에, 나르본.
1650년 - 1651넌	아쟝, 페즈나, 랑그독.
1652년	그르노블.
1653년 2월	극단의 배우 뒤파르크와 결혼한 테레즈 드 고를르 후작부인이 극단에 입단한다. 그녀는 후에 마르키즈 드 고를르라는 이름으로 유명하게 된다.
9월	페즈나 공연. 극단은 콩티 왕제의 각별한 후의를 입는다. 그후 콩티 왕제 극단이라는 이름을 갖게 된다.
1654년말	몰리에르의 첫 희극 작품 《덤벙이 *L'Étourdi*》(1655)가 리옹에서 무대에 올려진다.
1655년 6월	디종.
1656년	페즈나, 랑그독.
1656년	나르본, 보르도, 아쟝, 베지에. 몰리에르의 두번째 작품 《사랑의 원한 *Dépit amoureux*》이 베지에에서 공연(12월)된다. 변심한 콩티가 연극에 적대적이 되어, 몰리에르로서는 후원자를 잃게 되었을 뿐만 아니라 강력한 적을 갖게 된다.
1657년	리옹, 디종. 콩티는 극단이 자신의 이름을 사용하지 못하게 한다.
1658년	그르노블, 루앙. 이즈음 코르네이유는 마르키즈 뒤파르크를 연모해 일련의 연애극들을 바친다.
1658년 10월 24일	파리. 비유 루브르의 친위대실에서 국왕과 조신들이 보는 가운데 코르네이유의 《니코메드 *Nicomède*》와

몰리에르의 여흥극 《사랑에 빠진 의사 *Le Docteur amoureux*》가 공연된다. 국왕은 극단에게 파리에 정착할 것을 명하고, 프티 부르봉 공연실을 제공한다.

1658년 11월 2일 《덤벙이》의 첫 대중 공연이 큰 성공을 거둔다. 《사랑의 원한》도 성공적이다.

몰리에르 극단은 베자르 자매, 즉 마들렌 베자르와 주느비에브 베자르 및 두 베자르 형제, 즉 조제프 베자르와 루이 베자르, 드 브리와 그의 부인, 뒤파르크와 그의 부인, 그리고 샤를 뒤프레스느, 이렇게 모두 10명으로 구성된다. 세 여배우 마들렌 베자르와 드 브리 부인, 그리고 뒤파르크 부인과의 관계가 몰리에르에게 문제를 일으키게 된다.

1659년 4월 13일 샤를 뒤프레스느가 은퇴하고, 뒤파르크와 그의 부인 마르키즈는 마레 극단으로 옮겨간다. 이름난 희극배우 조들레와 그의 동생 레즈피, 그리고 라그랑쥬가 몰리에르 극단에 들어온다.

5월 26일 조제프 베자르의 죽음.

10월 4일 마레로 옮긴 것을 후회하는 뒤파르크 부부는 1660년부터 1664년까지 몰리에르 극단에 참여하기로 계약한다.

11월 18일 세번째 작품 《우스꽝스런 겉멋쟁이 여자들 *Les Précieuses ridicules*》 공연.

1660년 1월 29일 《우스꽝스런 겉멋쟁이 여자들》 출간(1월 19일자 출판 허가).

3월 - 4월 극단에 두 가지 변화가 생긴다. 뒤파르크의 예정된 복귀와 조들레의 죽음이 그것이다.

4월 6일 몰리에르의 동생 장의 죽음. 그로 인해 가업을 다시금 몰리에르가 물려받게 된다.

5월 28일 네번째 작품 《상상으로 오쟁이진 사내 스가나렐 *Sganarelle ou le Cocu imaginaire*》의 초연. 공연은 3개월 동안 이어지고, 34회 무대에 올려진다.

5월 31일 《덤벙이》·《사랑의 원한》·《상상으로 오쟁이진 사내》·《동 가르시》에 대해 국왕의 출판 윤허가 내려

		몰리에르는 순풍을 받은 셈이다.
	8월 12일	《상상으로 오쟁이진 사내》 출간.
	10월 11일	루브르 주랑을 짓기 위해 프티 부르봉 공연장을 해체하는 바람에 몰리에르는 리슐리외가 건축한 팔레 루아얄 극장으로 옮긴다.
1661년	1월 20일	《사랑의 원한》으로 팔레 루아얄 개관.
	2월 4일	다섯번째 작품 《동 가르시 드 나바르 *Dom Garcie de Navarre*》 초연.
	6월 24일	여섯번째 작품 《남편 학교 *L'Ecole des maris*》 초연.
	8월 17일	일곱번째 작품 《성가신 자들 *Fâcheux*》 초연.
	8월 25일	《성가신 자들》의 두번째 공연.
	11월 4일	《성가신 자들》 팔레 루아얄 공연(연이어 39회 공연).
1662년	1월 23일	아르망드 베자르와 몰리에르의 결혼 서약. 아르망드 베자르는 서류상으로는 마들렌 베자르의 동생으로 되어 있지만, 실제로는 딸로 여겨진다.
	2월 18일	《성가신 자들》 출간.
	2월 20일	몰리에르와 아르망드 베자르의 결혼.
	11월 24일	《사랑의 원한》 출간.
	12월 26일	여덟번째 작품 《아내 학교 *L'Ecole des femmes*》의 초연.
1663년	3월 17일	《아내 학교》 출간.
	6월 1일	아홉번째 작품 《아내 학교 비판 *La Critique de l'Ecole des femmes*》 초연. 아르망드가 엘리즈 역을 맡는다.
	6월 또는 7월	몰리에르는 문인에게 하사되는 특별연금 1천 리브르를 매년 받게 되고, 《국왕께 바치는 감사의 말 *Remerciement au Roi*》을 써서 출간한다.
	8월 7일	《아내 학교 비판》 출간.
	10월	열번째 작품 《베르사이유의 즉흥극 *L'Impromptu de Versailles*》 초연.
1664년	1월 19일	몰리에르의 첫아이 루이 탄생.
	1월 29일	루브르에서 국왕이 보는 가운데 《강제 결혼 *Mariage forcé*》(열한번째 작품) 초연.

2월 28일	몰리에르 아들의 세례. 국왕과 오를레앙 공작부인이 아이의 대부 대모가 됨.
5월 8일	베르사이유에서 《엘리드 공주 *La Princesse d'Elide*》(열두번째 작품) 초연.
5월 12일	열세번째 작품 《타르튀프 *Tartuffe*》(3막) 초연. 공연 금지.
6월 20일	라신의 첫 작품 《테바이드 *La Thébaide*》 초연.
8월 4일	교황 알렉산데르 7세의 조카이자 특사인 쉬기 추기경 앞에서 《타르튀프》 낭독. 파리의 생 바르텔르미 교구의 주교인 피에르 룰레가 쓴 몰리에르에 반대하는 팜플렛.
8월 31일	《타르튀프》를 위한 첫번째 청원서.
9월 25일	《타르튀프》의 첫 세 막 수정 없이 공연.
11월 9일	《엘리드 공주》 팔레 루아얄에서 공연.
11월 10일	몰리에르 아들 루이의 죽음.
11월 29일	5막으로 된 《타르튀프》 공연.
1665년 2월 15일	열네번째 작품 《동 쥐앙 *Don Juan*》 초연.
4월 18일	《동 쥐앙》을 비판하는 로슈몽의 팜플렛.
8월 3일	몰리에르의 딸 에스프리-마들렌 탄생.
8월 14일	국왕은 극단에 7천 리브르의 연금을 지급하고, 왕실 극단이라는 칭호를 내린다.
9월 14일	베르사이유에서 《의사의 사랑 *L'Amour médecin*》(열다섯번째 작품) 초연.
11월 8일	5막으로 완성된 《타르튀프》를 렝시에서 공연.
12월 4일	라신의 《알렉상드르 *Alexandre*》 초연.
12월 18일	《알렉상드르》 오텔 드 부르고뉴 극장에서 공연. 몰리에르와 라신의 불화.
1665년 12월 - 66년 2월	몰리에르는 병에 걸려 거의 죽을 뻔한다.
1666년 1월 15일	《의사의 사랑》 출간.
1월 20일	안 여왕의 죽음.
2월 20일	콩티 왕제의 죽음.
6월 4일	열여섯번째 작품 《염세가 *Misanthrope*》 초연.
8월 6일	열일곱번째 작품 《본의 아닌 의사 *Médecin malgré*

lui》 초연.

12월 2일	열여덟번째 작품 《멜리세르트 *Melicerte*》 초연.
1667년 2월 14일	열아홉번째 작품 《시칠리아인 혹은 화가의 사랑 *Le Sicilien ou l'Amour peintre*》 초연.
3월 29일	마드모아젤 뒤파르크가 몰리에르 극단을 떠나 오텔 드 부르고뉴로 옮겨간다.
8월 5일	5막으로 구성된 《타르튀프》를 《위선자 *L'Imposteur*》라는 제목으로 대중 공연. 즉각적인 공연 금지.
8월 8일	국왕에게 올리는 두번째 청원서.
8월 11일	파리의 대주교 아르두엥 드 페레픽스가 《타르튀프》의 공연 및 독서를 금지한다.
1668년 1월 13일	《앙피트리옹 *Amphitryon*》(스무번째 작품) 초연.
3월 4일	오텔 드 콩드에서 《타르튀프》 공연.
5월 25일	쉬블리니의 《광적인 언쟁 또는 앙드로마크 비판》을 몰리에르 공연.
7월 18일	베르사이유에서 《조르주 당댕 *George Dandin*》(스물한번째 작품) 초연.
9월 9일	《수전노 *L'Avare*》(스물두번째 작품) 초연.
9월 20일	《타르튀프》 샹티에서 공연.
11월 9일	《조르주 당댕》 팔레 루아얄 공연. 39회 공연.
1669년 2월 5일	《타르튀프》를 위한 세번째 청원서. 마침내 허가된 《타르튀프》 공연. 44회 연속 공연.
2월 27일	몰리에르 아버지의 죽음.
3월 15일	《타르튀프》 출판 허가. 3월 23일 출간.
3월 23일	몰리에르 시 《발 드 그라스 교회의 영광 *La Gloire du Val-de-Grâce*》
10월 6일	《므슈 드 푸르소냑 *Monsieur de Pourceaugnac*》(스물세번째 작품) 샹보르 성에서 초연.
11월 15일	《므슈 드 푸르소냑》 팔레 루아얄 공연.
1670년 2월 4일	생-제르맹에서 《멋진 연인 *Les Amants magnifiques*》(스물네번째 작품) 초연.
6월 29일	오를레앙 공작부인의 죽음.
10월 14일	《서민귀족 *Bourgeois gentilhomme*》(스물다섯번째 작

품) 샹보르 성에서 초연.

11월 23일	《서민귀족》 팔레 루아얄 공연. 48회 공연.
11월 28일	코르네이유 작품 《티트와 베레니스 *Tite et Bérénice*》 공연.
1671년 1월 17일	스물여섯번째 작품 《프시케 *Psyché*》 초연.
5월 24일	스물일곱번째 작품 《스카팽의 간계 *Fourberies de Scapin*》 초연.
7월 24일	《프시케》 팔레 루아얄 공연. 38회 연속 공연.
12월 2일	스물여덟번째 작품 《에스카르바냐 백작부인 *La Comtesse d'Escarbagnas*》 초연.
1672년 2월 17일	마들렌 베자르의 죽음.
3월 11일	스물아홉번째 작품 《유식한 여자들 *Femmes savantes*》 초연. 20회 연속 공연.
7월 8일	《에스카르바냐 백작부인》과 《강제 결혼》 팔레 루아얄 공연.
9월 15일	몰리에르의 셋째아이 피에르 장 바티스트 아르망의 탄생. 아이는 10월 10일에 죽는다.
1673년 2월 10일	서른번째 작품 《상상 환자 *Malade imaginaire*》 팔레 루아얄에서 초연.
2월 12일-14일	《상상 환자》 2회, 3회 공연.
2월 17일	《상상 환자》 4회 공연. 공연 도중 몰리에르는 경련을 일으키지만 억지로 감춘다. 그는 의자에 앉은 채 집으로 실려 오지만 피를 토하고 죽는다.
3월 3일	《염세가》 2회, 《성가신 자들》 1회, 《에스카르바냐》 1회 공연 후, 극단은 《상상 환자》를 다시 공연하는데 라 토리이에르가 몰리에르 역을 맡는다.

백선희
덕성여대 불어불문학과 졸업
프랑스 그르노블3대학에서 석사 및 박사과정을 마치고 졸업
역서: 이오네스코 《흑과 백》, 시몬 드 보부아르 《미국 여행기》
현재 덕성여대 강사

이연매
덕성여대 불어불문학과 졸업
파리7대학에서 불문학 학사과정
현재 극예술비교연구회 및 극단 〈감 21〉에서 활동

현대신서
54

타르튀프·서민귀족

초판발행: 2000년 4월 10일

지은이: 몰리에르
옮긴이: 극예술비교연구회
펴낸이: 辛成大
펴낸곳: 東文選

제10-64호, 78. 12. 16 등록
서울 종로구 관훈동 74번지
전화: 737-2795
팩스: 723-4518

편집설계 : 韓仁淑

ISBN 89-8038-135-2 04860
ISBN 89-8038-050-X (세트)

【東文選 現代新書】

1 21세기를 위한 새로운 엘리트	FORESEEN 연구소 / 김경현	7,000원
2 의지, 의무, 자유	L. 밀러 / 이대희	6,000원
3 사유의 패배	A. 핑켈크로트 / 주태환	7,000원
4 문학이론	J. 컬러 / 이은경·임옥희	7,000원
5 불교란 무엇인가	D. 키언 / 고길환	6,000원
6 유대교란 무엇인가	N. 솔로몬 / 최창모	6,000원
7 20세기 프랑스철학	E. 매슈스 / 김종갑	8,000원
8 강의에 대한 강의	P. 부르디외 / 현택수	6,000원
9 텔레비전에 대하여	P. 부르디외 / 현택수	7,000원
10 고고학이란 무엇인가	P. 반 / 박범수	근간
11 우리는 무엇을 아는가	T. 나겔 / 오영미	5,000원
12 에쁘롱	J. 데리다 / 김다은	7,000원
13 히스테리 사례분석	S. 프로이트 / 태혜숙	7,000원
14 사랑의 지혜	A. 핑켈크로트 / 권유현	6,000원
15 일반미학	R. 카이유와 / 이경자	6,000원
16 본다는 것의 의미	J. 버거 / 박범수	근간
17 일본영화사	M. 테시에 / 최은미	7,000원
18 청소년을 위한 철학교실	A. 자카르 / 장혜영	7,000원
19 미술사학 입문	M. 포인턴 / 박범수	8,000원
20 클래식	M. 비어드·J. 헨더슨 / 박범수	6,000원
21 정치란 무엇인가	K. 미노그 / 이정철	6,000원
22 이미지의 폭력	O. 몽젱 / 이은민	8,000원
23 청소년을 위한 경제학교실	J. C. 두루엥 / 조은미	근간
24 순진함의 유혹	P. 브뤼크네르 / 김웅권	9,000원
25 청소년을 위한 이야기 경제학	A. 푸르상 / 이은민	근간
26 부르디외 사회학 입문	P. 보네위츠 / 문경자	7,000원
27 돈은 하늘에서 떨어지지 않는다	K. 아른트 / 유영미	6,000원
28 상상력의 세계사	R. 보이아 / 김웅권	9,000원
29 지식을 교환하는 새로운 기술	A. 벵토릴라 外 / 김혜경	6,000원
30 니체 읽기	R. 비어즈워스 / 김웅권	6,000원
31 노동, 교환, 기술	B. 데코사 / 신은영	6,000원
32 미국만들기	R. 로티 / 임옥희	근간
33 연극의 이해	A. 쿠프리 / 장혜영	8,000원
34 라틴문학의 이해	J. 가야르 / 김교신	근간
35 여성적 가치의 선택	FORESEEN연구소 / 문신원	근간
36 동양과 서양 사이	L. 이리가라이 / 이은민	7,000원
37 영화와 문학	R. 리처드슨 / 이형식	8,000원

38	분류하기의 유혹	G. 비뇨 / 임기대	근간
39	사실주의	G. 라루 / 조성애	근간
40	윤리학	A. 바디우 / 이종영	근간
41	武士道란 무엇인가	新渡戶稻造 / 심우성	근간
42	발전의 미래	D. 르쿠르 / 김영선	근간
43	중세에 살기	J. 르 고프 外 / 최애리	근간
44	쾌락의 횡포(상)	J. C. 기유보 / 김웅권	근간
45	쾌락의 횡포(하)	J. C. 기유보 / 김웅권	근간
46	운디네와 지식의 불	B. 데스파냐 / 김웅권	근간
47	이성의 한가운데서	A. 퀴노 / 최은영	근간
48	도덕적 명령	FORESEEN 연구소 / 우강택	근간
49	망각의 형태	M. 오제 / 김수경	근간
50	느리게 사는 지혜	P. 쌍쏘 / 김주경	근간
51	나만의 자유를 찾아서	C. 토마스 / 문신원	근간
52	음악적 삶을 위하여	M. 존스 / 송인영	근간
53	나의 철학적 유언	J. 기통 / 권유현	근간
54	타르튀프 · 서민귀족	J. -B. P. 몰리에르 / 극예술비교연구회	8,000원
55	판타지 산업	A. 플라워즈 / 박범수	근간
56	이탈리아 영화사	L. 스키파노 / 이주현	근간

【東文選 文藝新書】

1	저주받은 詩人들	A. 뻬이르 / 최수철· 김종호	개정근간
2	민속문화론서설	沈雨晟	40,000원
3	인형극의 기술	A. 훼도토프 / 沈雨晟	8,000원
4	전위연극론	J. 로스 에반스 / 沈雨晟	12,000원
5	남사당패연구	沈雨晟	10,000원
6	현대영미희곡선(전4권)	N. 코워드 外 / 李辰洙	각 4,000원
7	행위예술	L. 골드버그 / 沈雨晟	절판
8	문예미학	蔡 儀 / 姜慶鎬	절판
9	神의 起源	何 新 / 洪 熹	16,000원
10	중국예술정신	徐復觀 / 權德周	24,000원
11	中國古代書史	錢存訓 / 金允子	14,000원
12	이미지	J. 버거 / 편집부	12,000원
13	연극의 역사	P. 하트놀 / 沈雨晟	절판
14	詩 論	朱光潛 / 鄭相泓	9,000원
15	탄트라	A. 무케르지 / 金龜山	10,000원
16	조선민족무용기본	최승희	15,000원
17	몽고문화사	D. 마이달 / 金龜山	8,000원

18 신화 미술 제사	張光直 / 李 徹	10,000원
19 아시아 무용의 인류학	宮尾慈良 / 沈雨晟	절판
20 아시아 민족음악순례	藤井知昭 / 沈雨晟	5,000원
21 華夏美學	李澤厚 / 權 瑚	15,000원
22 道	張立文 / 權 瑚	18,000원
23 朝鮮의 占卜과 豫言	村山智順 / 金禧慶	15,000원
24 원시미술	L. 아담 / 金仁煥	16,000원
25 朝鮮民俗誌	秋葉隆 / 沈雨晟	12,000원
26 神話의 이미지	J. 캠벨 / 扈承喜	근간
27 原始佛教	中村元 / 鄭泰爀	8,000원
28 朝鮮女俗考	李能和 / 金尙憶	12,000원
29 朝鮮解語花史(조선기생사)	李能和 / 李在崑	25,000원
30 조선창극사	鄭魯湜	7,000원
31 동양회화미학	崔炳植	9,000원
32 性과 결혼의 민족학	和田正平 / 沈雨晟	9,000원
33 農漁俗談辭典	宋在璇	12,000원
34 朝鮮의 鬼神	村山智順 / 金禧慶	12,000원
35 道教와 中國文化	葛兆光 / 沈揆昊	15,000원
36 禪宗과 中國文化	葛兆光 / 鄭相泓 · 任炳權	8,000원
37 오페라의 역사	L. 오레이 / 류연희	절판
38 인도종교미술	A. 무케르지 / 崔炳植	14,000원
39 힌두교의 그림언어	안넬리제 外 / 全在星	9,000원
40 중국고대사회	許進雄 / 洪 熹	22,000원
41 중국문화개론	李宗桂 / 李宰碩	15,000원
42 龍鳳文化源流	王大有 / 林東錫	17,000원
43 甲骨學通論	王宇信 / 李宰錫	근간
44 朝鮮巫俗考	李能和 / 李在崑	12,000원
45 미술과 페미니즘	N. 부루드 外 / 扈承喜	9,000원
46 아프리카미술	P. 윌레뜨 / 崔炳植	절판
47 美의 歷程	李澤厚 / 尹壽榮	22,000원
48 曼茶羅의 神들	立川武藏 / 金龜山	절판
49 朝鮮歲時記	洪錫謨 外/李錫浩	30,000원
50 하 상	蘇曉康 外 / 洪 熹	8,000원
51 武藝圖譜通志 實技解題	正 祖 / 沈雨晟 · 金光錫	15,000원
52 古文字學첫걸음	李學勤 / 河永三	9,000원
53 體育美學	胡小明 / 閔永淑	10,000원
54 아시아 美術의 再發見	崔炳植	9,000원
55 曆과 占의 科學	永田久 / 沈雨晟	8,000원

56 中國小學史	胡奇光 / 李宰碩	20,000원
57 中國甲骨學史	吳浩坤 外 / 梁東淑	근간
58 꿈의 철학	劉文英 / 河永三	22,000원
59 女神들의 인도	立川武藏 / 金龜山	13,000원
60 性의 역사	J. L. 플랑드렝 / 편집부	18,000원
61 쉬르섹슈얼리티	W. 챠드윅 / 편집부	10,000원
62 여성속담사전	宋在璇	18,000원
63 박재서희곡선	朴栽緖	10,000원
64 東北民族源流	孫進己 / 林東錫	13,000원
65 朝鮮巫俗의 硏究(상 · 하)	赤松智城 · 秋葉隆 / 沈雨晟	28,000원
66 中國文學 속의 孤獨感	斯波六郎 / 尹壽榮	8,000원
67 한국사회주의 연극운동사	李康列	8,000원
68 스포츠인류학	K. 블랑챠드 外 / 박기동 外	12,000원
69 리조복식도감	리팔찬	절판
70 娼　婦	A. 꼬르벵 / 李宗旼	20,000원
71 조선민요연구	高晶玉	30,000원
72 楚文化史	張正明	근간
73 시간 욕망 공포	A. 꼬르벵	근간
74 本國劍	金光錫	40,000원
75 노트와 반노트	E. 이오네스코 / 박형섭	절판
76 朝鮮美術史硏究	尹喜淳	7,000원
77 拳法要訣	金光錫	10,000원
78 艸衣選集	艸衣意恂 / 林鍾旭	14,000원
79 漢語音韻學講義	董少文 / 林東錫	10,000원
80 이오네스코 연극미학	C. 위베르 / 박형섭	9,000원
81 중국문자훈고학사전	全廣鎭 편역	15,000원
82 상말속담사전	宋在璇	10,000원
83 書法論叢	沈尹默 / 郭魯鳳	8,000원
84 침실의 문화사	P. 디비 / 편집부	9,000원
85 禮의 精神	柳　肅 / 洪　熹	10,000원
86 조선공예개관	日本民芸協會 편 / 沈雨晟	30,000원
87 性愛의 社會史	J. 솔레 / 李宗旼	12,000원
88 러시아미술사	A. I. 조토프 / 이건수	16,000원
89 中國書藝論文選	郭魯鳳 選譯	25,000원
90 朝鮮美術史	關野貞	근간
91 美術版 탄트라	P. 로슨 / 편집부	8,000원
92 군달리니	A. 무케르지 / 편집부	9,000원
93 카마수트라	바짜야나 / 鄭泰爀	10,000원

94	중국언어학총론	J. 노먼 / 全廣鎭	18,000원
95	運氣學說	任應秋 / 李宰碩	8,000원
96	동물속담사전	宋在璇	20,000원
97	자본주의의 아비투스	P. 부르디외 / 최종철	6,000원
98	宗敎學入門	F. 막스 뮐러 / 金龜山	10,000원
99	변 화	P. 바츨라빅크 外 / 박인철	10,000원
100	우리나라 민속놀이	沈雨晟	20,000원
101	歌訣(중국역대명언경구집)	李宰碩 편역	20,000원
102	아니마와 아니무스	A. 융 / 박해순	8,000원
103	나, 너, 우리	L. 이리가라이 / 박정오	10,000원
104	베케트연극론	M. 푸크레 / 박형섭	8,000원
105	포르노그래피	A. 드워킨 / 유혜련	12,000원
106	셸 링	M. 하이데거 / 최상욱	12,000원
107	프랑수아 비용	宋 勉	18,000원
108	중국서예 80제	郭魯鳳 편역	16,000원
109	性과 미디어	W. B. 키 / 박해순	12,000원
110	中國正史朝鮮列國傳(전2권)	金聲九 편역	120,000원
111	질병의 기원	T. 매큐언 / 서 일 · 박종연	12,000원
112	과학과 젠더	E. F. 켈러 / 민경숙 · 이현주	10,000원
113	물질문명 · 경제 · 자본주의	F. 브로델 / 이문숙 外	절판
114	이탈리아인 태고의 지혜	G. 비코 / 李源斗	8,000원
115	中國武俠史	陳 山 / 姜鳳求	18,000원
116	공포의 권력	J. 크리스테바 / 서민원	근간
117	주색잡기속담사전	宋在璇	15,000원
118	죽음 앞에 선 인간(상 · 하)	P. 아리에스 / 劉仙子	각권 8,000원
119	철학에 관하여	L. 알튀세르 / 서관모 · 백승욱	10,000원
120	다른 곶	J. 데리다 / 김다은 · 이혜지	8,000원
121	문학비평방법론	D. 베르제 外 / 민혜숙	12,000원
122	자기의 테크놀로지	M. 푸코 / 이희원	12,000원
123	새로운 학문	G. 비코 / 李源斗	22,000원
124	천재와 광기	P. 브르노 / 김웅권	13,000원
125	중국은사문화	馬 華 · 陳正宏 / 강경범 · 천현경	12,000원
126	푸코와 페미니즘	C. 라마자노글루 外 / 최 영 外	16,000원
127	역사주의	P. 해밀턴 / 임옥희	12,000원
128	中國書藝美學	宋 民 / 郭魯鳳	16,000원
129	죽음의 역사	P. 아리에스 / 이종민	13,000원
130	돈속담사전	宋在璇 편	15,000원
131	동양극장과 연극인들	김영무	15,000원

132 生育神과 性巫術	宋兆麟 / 洪 熹	20,000원
133 미학의 핵심	M. M. 이턴 / 유호전	14,000원
134 전사와 농민	J. 뒤비 / 최생열	18,000원
135 여성의 상태	N. 에니크 / 서민원	22,000원
136 중세의 지식인들	J. 르 고프 / 최애리	18,000원
137 구조주의의 역사(전4권)	F. 도스 / 이봉지 外	각권 13,000원
138 글쓰기의 문제해결전략	L. 플라워 / 원진숙·황정현	18,000원
139 음식속담사전	宋在璇 편	16,000원
140 고전수필개론	權 瑚	16,000원
141 예술의 규칙	P. 부르디외 / 하태환	23,000원
142 사회를 보호해야 한다	M. 푸코 / 박정자	16,000원
143 페미니즘사전	L. 터틀 / 호승희·유혜련	26,000원
144 여성심벌사전	B. G. 워커 / 편집부	근간
145 모데르니테 모데르니테	H. 메쇼닉 / 김다은	20,000원
146 눈물의 역사	A. 벵상뷔포 / 김자경	18,000원
147 모더니티입문	H. 르페브르 / 이종민	24,000원
148 재생산	P. 부르디외 / 이상호	18,000원
149 종교철학의 핵심	W. J. 웨인라이트 / 김희수	18,000원
150 기호와 몽상	A. 시몽 / 박형섭	22,000원
151 융분석비평사전	A. 새뮤얼스 外 / 민혜숙	근간
152 운보 김기창 예술론연구	최병식	14,000원
153 시적 언어의 혁명	J. 크리스테바 / 김인환	근간
154 예술의 위기	Y. 미쇼 / 하태환	15,000원
155 프랑스사회사	G. 뒤프 / 박 단	16,000원
156 중국문예심리학사	劉偉林 / 沈揆昊	30,000원
157 무지카 프라티카	M. 캐넌 / 김혜중	근간
158 불교산책	鄭泰爀	20,000원
159 인간과 죽음	E. 모랭 / 김명숙	근간
160 地中海(전5권)	F. 브로델 / 李宗旼	근간
161 漢語文字學史	黃德實·陳秉新 / 河永三	24,000원
162 글쓰기와 차이	J. 데리다 / 남수인	근간
163 朝鮮神事誌	李能和 / 李在崑	근간

【롤랑 바르트 전집】

▨ 현대의 신화	이화여대기호학연구소 옮김	15,000원
▨ 모드의 체계	이화여대기호학연구소 옮김	18,000원
▨ 텍스트의 즐거움	김희영 옮김	15,000원
▨ 라신에 관하여	남수인 옮김	10,000원

【完譯詳註 漢典大系】

▨ 說 苑・上	林東錫 譯註	30,000원
▨ 說 苑・下	林東錫 譯註	30,000원
▨ 晏子春秋	林東錫 譯註	30,000원
▨ 西京雜記	林東錫 譯註	20,000원
▨ 搜神記・上	林東錫 譯註	30,000원
▨ 搜神記・下	林東錫 譯註	30,000원
▨ 歷代書論	郭魯鳳 譯註	40,000원

【기 타】

■ 경제적 공포	V. 포레스테 / 김주경	7,000원
■ 古陶文字徵	高 明・葛英會	20,000원
■ 古文字類編	高 明	24,000원
■ 古文字學論集(第一輯)	中國古文字學會 편	12,000원
■ 金文編	容 庚	36,000원
■ 딸에게 들려 주는 작은 지혜	N. 레흐레이트너 / 양영란	6,500원
■ 딸에게 들려 주는 작은 철학	R. 시몬 셰퍼 / 안상원	7,000원
■ 미래를 원한다	J. D. 로스네 / 문 선・김덕희	8,500원
■ 산이 높으면 마땅히 우러러볼 일이다	유 향 / 임동석	5,000원
■ 서기 1000년과 서기 2000년 그 두려움의 흔적들	J. 뒤비 / 양영란	8,000원
■ 세계사상・창간호		10,000원
■ 세계사상・제2호		10,000원
■ 세계사상・제3호		10,000원
■ 세계사상・제4호		14,000원
■ 선종이야기	홍 희 편저	8,000원
■ 십이속상도안집	편집부	8,000원
■ 어린이 수묵화의 첫걸음(전6권)	조 양	42,000원
■ 原本 武藝圖譜通志	正祖 命撰	60,000원
■ 隸字編	洪鈞陶	40,000원
■ 한글 설원(상・중・하)	임동석 옮김	각권 7,000원
■ 한글 안자춘추	임동석 옮김	8,000원
■ 한글 수신기(상・하)	임동석 옮김	각권 8,000원

【통신판매】 가까운 서점에서 小社의 책을 구입하기 어려운 분은 국민은행(006-21-0567-061 : 신성대)으로 책값을 송금하신 후 전화 또는 우편으로 주소를 알려 주시면 책을 보내 드립니다. (보통등기, 송료 출판사 부담)

東文選 文藝新書 150

기호와 몽상

알프레드 시몽

박형섭 옮김

기호와 몽상의 구체적 실현물인 연극과 축제는 오래 전부터 존재해 왔고, 인간의 삶과 깊은 관계를 맺고 있다. 삶이 있는 곳에는 언제나 크고 작은 축제가 있었으며, 이 축제 속에는 반드시 연극적 요소가 있었다. 저자는 축제와 연극의 뿌리가 생태적으로 같으며, 둘 모두 민중적 삶의 조건과 비극성에서 비롯했음을 강조한다. 또한 축제에는 진정한 창조정신이 깃들어 있다. 그것은 살아 있는 작품이며, 실제적인 행위인 것이다. 축제는 일상적 모임, 노동, 정치적 집회와도 무관하지 않다. 모든 회합은 연극성을 띠고 있으며, 모든 작업공동체는 창조적 도약으로 그 자체 속에 고유한 축제성을 지니고 있다. 축제 없이는 공동체도 없고, 공동체 없이는 축제도 없다. 한편 연극은 세계에 대한 설명이고, 우주를 해석하며, 인간조건을 풀어 주는 열쇠이다. 그래서 연극은 하나의 은유적 기능을 하는 것이다. 연극은 인간 자신에 대해 그리고 인간과 사회와의 관계를 표상한다. 모든 사람들은 배우로서 자신들의 역할을 살아 간다. 그의 의식의 프리즘은 사회를 스펙트럼처럼 분석한다. 또한 사람은 자신을 신성하게 만들어 주는 이미지를 찾아서 환각의 장소인 연극적 공간으로 들어가는 것이다. 사람은 연극에 의해 반사되고, 스스로의 이미지 속에 몰입한다.

이 책의 주요 테마는 연극과 축제와 비극성의 동질적 관계를 밝히는 것이다. 저자는 연극의 죽음과 축제의 부재가 소외된 사회의 잔재가 아니라 오히려 소외가 이러한 죽음과 부재의 이중적 과정에 의해 정의된다고 강조한다.

저자의 해박한 지식은 물론 그의 서술방법, 축제와 연극에 관한 시각 등이 매우 새로운 이 책은 축제와 연극의 상관성을 역사적·사회학적·미학적으로 분석한 본격 문화이론서가 될 것이다.

東文選 文藝新書 146

눈물의 역사

안 뱅상 뷔포

이자경 옮김

사생활의 형태들에 대한 역사학의 현대적 관심 속에서, 하나의 질문이 제기된다. 그것은 바로 '눈물의 역사가 있다면?' 이다. 우리의 가장 은밀한(또는 겉으로 표현되기도 하는) 태도들 가운데 하나인 이 눈물을 역사의 개념으로 이해하는 것은, 이러한 감동의 형태들을 사용하는 방식이 시대와 사회에 따라 섬세하거나, 혹은 부자연스러운 것이 된다는 사실을 성찰하게 해준다.

어떠한 눈물도 서로 유사하지 않지만, 그러나 이전의 두 세기를 살펴보면 이러한 감동 표현의 중심에 변화가 일어났음을 알게 된다. 문학작품·의학서적·재판기록·연감·일기 등의 자료에 근거하여, 저자는 18세기를 쉽게 눈물을 흘리는 시대로 나타낸다. 눈물을 자아내는 연극으로부터 대혁명하의 집단적 진정토로에 이르기까지, 눈물은 대중 사이에서 전파되는 것처럼 보인다. 비록 이러한 행동에 대한 해석에서 성별에 따라 몇 가지 치이점이 읽혀지지만, 그럼에도 불구하고 18세기는 손쉬운 눈물을 흘리게 한다. 그리고 그 눈물은 뚜렷이 식별되는 기능들을 가진다. 남몰래 부끄러워하며 홀로 내적 자아의 감미로운 희열 속에서 눈물 흘리기를 좋아하는 낭만주의 시기가 지나고, 19세기는 후반에 들어서면서 다른 양상으로 나아간다. 풍속과 연관된 다른 분야들에서와 마찬가지로 눈물에서도 질서를 부여하려고 노력한다. 불안을 일으키는 것으로 인식된 눈물은 경계의 대상이 되며, 그 담론 한가운데 여성이 위치하게 된다. 따라서 여성이 눈물의 희생자이든 조작자이든간에, 여성이 지닌 감동의 능력은 통제되지 않으면 안 되게 된다.

역사학자로서 특히 근대 프랑스 사회의 풍속사를 연구 대상으로 하고 있는 저자는, 18,9세기에 걸친 눈물의 궤적을 추적, 문학작품·연극·고문서기록·회상록·일기 등과 같은 광범위한 자료를 섭렵하였다. 결국 이 연구서는 프랑스의 18,9세기에 있어서 '감수성의 사회적 표현에 관한 변천사' 라고 할 수 있다.

東文選 文藝新書 121

문학비평방법론

다니엘 베르제 外

민혜숙 옮김

문학을 공부하는 학도들과 문학 예비교실의 학생들을 위하여 기획된 이 책은, 텍스트 분석에 있어서 비평방법이라는 복잡하고도 중요한 물음에 대하여 명확히 밝히고 있다.

인문과학과 언어학의 기여로 인하여 비평 연구방법은 20세기에 유례 없는 발전을 하였다. 사회비평 · 심리비평 · 생성비평 · 주제비평 · 텍스트비평은 자료비평에 대한 오래 된 전통을 풍성하게 해주면서 주석자들에게 명확한 접근방법을 제공하였다.

이 책의 각장은 의뢰된 전문가들이 썼으며, 새로운 동향들에 대한 명료하고도 확실한 자료를 통해 설명을 하고 있다. 즉 각 비평의 흐름에 대한 기원, 형성, 전제 사항, 특별한 적용의 장, 경우에 따라 일어날 수 있는 제한점들을 상술하였다.

따라서 독자는 문학 텍스트에 대한 실제적인 접근을 하는 데 이 책의 도움을 받을 수 있을 것이다. 담화와 문학을 분리할 수 없는 이러한 시대에, 이 저작은 귀중한 보조자가 될 것이다. 비평방법들이 우리의 모든 지식을 이용하고 재분배하는 것을 보여 줌으로써, 이 책은 문학 텍스트의 실제적인 분석의 방법과 풍성한 이해의 길을 열어 준다.

東文選 文藝新書 133

미학의 핵심

마르시아 뮐더 이턴

유호전 옮김

이 책의 저자 마르시아 이턴은 현대의 넘쳐나는 미적·예술적 사건들을 특유의 친절함과 박식함으로 진단한다. 소크라테스에서 데리다에 이르기까지 고대와 현대를 어려움 없이 넘나들며 때로는 미적 가치로, 때로는 도덕적 가치로 예술의 모든 장르를 재단한다. 미학의 본질을 파악할 수 있도록 핵심 용어와 이론을 정의하고 소개하며, 혼란이 일고 있는 부분들을 적절히 노출시켜 독자의 정확한 판단을 유도한다. 결코 한쪽에 치우치지 않게 다양한 목소리를 가능한 한 수용하면서, 객관과 주관이 공존하고 형식과 맥락이 혼재하며 전통과 관습이 살아 움직이는 비평을 지향한다.

부분적 특성이 하나의 통합적 경험으로 표출되는 미적 체험의 특수성을 역설하면서, 개인 취향의 다양성과 문화적·역사적 상이함이 초래할 수 있는 미적 대상에 대한 이질적 반응도 충분히 인정할 것을 이 책은 주장한다. 이턴은 개인적 차원의 미적·예술적 경험에 만족하지 않는다. 응용미학이나 환경미학 등 사회적 역할에 이르기까지 미학의 책임과 영역을 확대시킨다. 이 책을 읽는 독자들은 저자가 제시하는 내용들이 공허한 이론으로 끝나지 않고, 예술의 제반 현상들에 실제로 적용되는 경우를 빈번히 목격하게 되며, 결국 저자의 해박함과 노고에 미소짓지 않을 수 없을 것이다.

이 책에서 언급되는 주제는 다음과 같다.

■대상·제작자·감상자의 역할 ■해석·비평·미적 반응의 본질
■예술의 언어와 맥락 ■미적 가치의 본질
■구조주의나 해체주의와 같은 비분석적 미학의 입장
■환경미학의 공공 정책 결정에 있어서의 미학적 문제점 등 미학의 실제적 사용

東文選 文藝新書 154

예술의 위기

—유토피아, 민주주의와 코미디

이브 미쇼 / 하태환 옮김

예술이 위기를 맞고 있다는 사실은 누구나 다 인정한다. 그리고 그 위기의 원인에 대한 진단들도 폭넓게 논의되었다. 우리는 이제 더 이상 새로운 것만이 좋은 것은 아니라는 생각을 갖게 되었고, 진보가 어떤 유토피아를 향해 나아간다는 확실한 보증도 얻지 못했다. 더군다나 엔트로피의 사회에서 진보는 전체 사회를 파멸시키는 가속자가 아닌가 하는 의구심마저 들게 한다. 전투사적이고 투쟁적인 예술의 아방가르드는 대중을 선도하기보다는 더욱더 고립된 엘리트주의 속에 갇히고 말았고, 기껏해야 상업주의 사회 속에서 새로운 모델 하나를 더 추가하는 것에 불과하게 되었다. 말하자면 유토피아적인 목적을 향해 줄기차게 매진해 나아간다는 목적론적 대서사시, 일관적이고 합리적 이성에 기반한 대형 스토리 하나가 파국을 맞았다는 이야기이다. 그러니까 예술의 위기란 아방가르드적 예술의 위기이다.

그런데 이러한 파국 앞에서 취하는 태도는 각자가 다르다. 지금까지 위기를 진단한 대부분의 이론가들이 이미 죽어가고 있는 예술을 되살리기 위해 제도와 교육의 책임을 들먹이며 새로운 수혈을 요구하거나, 애절한 향수 속에서 허무주의 속으로 빠져들었던 반면에, 이 책의 저자인 이브 미쇼는 오히려 그 죽음을 찬양하고 재촉한다. 그렇다. 진실로 대중이 바라는 예술이 지금 죽어가고 있는 예술이 아니라면 더욱더 그렇다. 왜냐하면 지금 우리 눈앞에서 펼쳐지고 있는 파노라마는, 다만 한 세기 전에 기묘하게 탄생했던 특이한 한 변종에 불과하기 때문이다.

작금의 프랑스 문화계를 벌집 쑤시듯 뒤집어 놓은 이 책의 저자 이브 미쇼는 현재 파리Ⅰ대학 철학교수로서, 1989~96년에는 미술학교인 국립 보자르의 학장을 역임한 비중 있는 예술비평가이다.

東文選 現代新書 22

이미지 폭력

올리비에 몽젱

이은민 옮김

영화와 폭력, 일찍이 폭력이 이처럼 미화된 적이 있었던가?

"가장 견디기 힘든 폭력은 가장 통증이 없는 폭력이다. 스크린 위에서는 폭력이 더 광적이 되가는 반면 관객들은 무감각에 길들여지고 있다." 끝없는 폭력의 우물로 가라앉고 있는 현대인들 앞에 영화 속의 폭력은 어떤 유형으로 나타나고 있으며, 우리는 폭력으로부터 어떻게 벗어날 수 있는가.

화면의 폭력이 처참하고 잔인해질수록 오히려 관객들은 영화 속의 폭력세계를 자신과 무관한 환상의 세계로 착각하고 안도감을 갖게 된다는 데에서 저자의 폭력적 이미지에 대한 탐구는 시작된다. 그러나 역설적이게도 이 점이 바로 현대 사회가 폭력에 대해 매우 민감한 사회임을 증명한다고 저자는 강조한다.

영화와 텔레비전의 화면을 침범한 폭력은 서구 국가들에서 사회적인 논쟁을 일으켰다. 사람들이 모든 것을 드러낼 수 있는가? 그리고 만일 모든 것을 보여 줄 수 없다면, 비난해야 하는가? 보통 몇몇 민감한 질문들이 열렬한 입장들과 흔히 피상적인 입장들을 끌어낸다.

올리비에 몽젱은 반대로 사람들이 폭력적이라고 말하는 영화를 가까이에서 검토하는 입장에 섰다. 60년대 폭력이 나타나는 방식과, 오늘날 제시되는 방법 사이에 분명하게 변화한 것이 무엇인가에 대하여 심도 있는 질문을 던진다──현대의 폭력성은 폭력 자체로 내비쳐지지만 우리는 그것을 추월할 수도, 그것을 제거할 수도, 재생할 수도 없다. 폭력 장면들을 비난하는 대신, 이 책은 우리로 하여금 거기에서 벗어나는 길을 트려고 한다.

東文選 文藝新書 12

이미지-시각과 미디어

Ways of Seeing

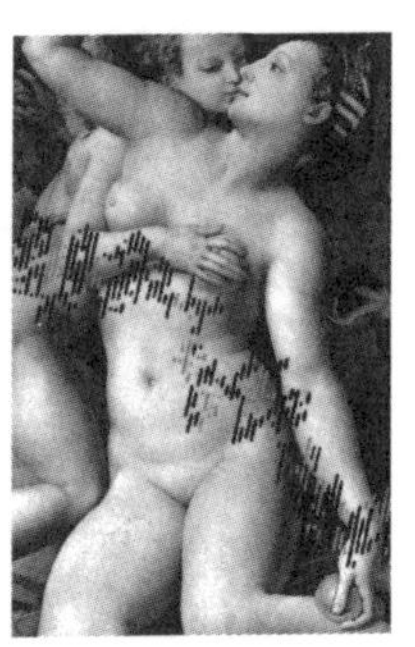

존 버거

편집부 옮김

본서의 저자 존 버거는 영국의 미술비평가이지만, 활동 범위는 미술사뿐만 아니라 문학·영화·TV·사회 문세 그리고 커뮤니케이션論까지 실로 다양하며, 케네스 클락 사후의 미술사·미술비평의 새로운 지평을 열어가는 인물로 높게 평가받고 있다.

본서는 그 존 버거의 작품 중 가장 화제를 불러일으켰던 저작이다. 영국 BBC 방송에서 4회 연속시리즈로 방영되었는데, 획기적인 기획 내용과 내레이션을 담은 영상 중심의 대담한 구성으로 호평을 받았던 TV 프로그램 'Ways of Seeing'을 기초로 한 텍스트이다. 따라서 예술만을 최상의 가치라고 간주하지 않고, 회화와 광고에 동등한 가치를 부여하려는 시도를 살려서 '시각' 자체를 재검토해 나가고 있다. 그리고 명쾌하게 이미지와 단어를 밀접하게 연결지은 이 책은 출판과 동시에 시선을 집중시켜 유럽 각지에서 베스트셀러가 되었고, 1972년 초판을 찍은 이래 매년 중판을 거듭하게 되었다.

본서는 종래의 대부분이 미술서적처럼 고전적인 명화만을 대상으로 한 단순한 '회화의 감상법'을 다룬 것이 아니라, 19세기 사진의 발명 이후에 필연적으로 '시각'의 주변에 생겨나게 된 방대한 이미지나 미디어망을 토대로 우리가 현재 보고 있는 구체적인 '시각' 구조를 풍부한 자료를 활용하여 새로운 각도에서 조명해 내려고 한 노작이다. 회화나 이미지를 표현 형식의 변천사로서 인식하는 것이 아니라, 지금 살아서 보고 있는 우리의 지층을 형성하고 있는 현재를 떠오르게 하는 것으로서 주시하려는 저자의 시도는 시각과 미디어를 동시에 생각하는 유효한 시점이고, 새롭게 미술이나 미디어에 접근하려는 사람들이 '시각'을 생각하기 위한 적합한 입문서이다.

東文選 文藝新書 80

이오네스코 연극미학

마리 크로드 위베르
박형섭 옮김

이오네스코는 최초로 〈반연극〉이라는 용어를 사용한 작가이다. 그리고 이 말의 개념을 자신의 작품이나 글을 통해 줄기차게 주장해온 이론가요 논쟁가이기도 하다. 이 용어는 어느새 하나의 비평어로서 그 가치를 획득하게 되었으며, 한때 〈반소설〉·〈반문학〉이라는 말과 더불어 유행한 적도 이었다.

이오네스코의 작품들은, 우리에게 동시대 인간의 고통과 삶에의 조건들이 철학적 이데올로기의 변이와 과학문명의 진보에 따른 상대적 박탈감, 이데올로기의 힘으로 극복할 수 없는 죽음의 문제, 절망, 타락, 언어소통의 한계 등을 다루고 있다. 거기에서 보여 주는 이미지는 참담하며, 비극적 상황은 대단히 풍자적으로 묘사된다.

이 책은 〈작가-이오네스코〉와 〈작품-이오네스코〉를 이해하는 데 중요한 단서를 제공해 줄 것이다. 그에 대한 이해 증진은 그의 작품을 올바르게 파악하는 길잡이가 될 것이며, 그것은 곧 반연극 혹은 부조리극을 올바르게 읽고 해석하는 데 도움을 줄 것이다. 이 책에서 보여 주는 작품에 관한 세밀한 설명과 분석은 아직도 막연하고 난해한 것으로 인식되고 있는 이오네스코와 그의 작품에 보다 더 가깝게 접근하도록 할 것이다.

東文選 文藝新書 141

예술의 규칙

—문학 장의 기원과 구조

피에르 부르디외

하태환 옮김

"모든 논쟁은 그로부터 시작된다"라고 일컬어질 만큼 현재 프랑스 최고의 사회학자인 피에르 부르디외의 예술에 관한 사회학적 분석서.

19세기에 국가의 관료체제와 그의 아카데미들, 그리고 이것들이 강요하는 좋은 취향의 규범들로부터 충분히 떼내어진 문학과 예술의 세계가 만들어진다.

피에르 부르디외는 문학 장의 연속적인 형상들 속에 드러나는 그 구조를 기술하면서, 우선 플로베르의 작품이 문학 장의 형성에 있어서 어떤 빚을 지고 있는가를 보여 준다. 다시 말해 작가로서의 플로베르가 자신이 생산함으로써 공헌하는 것을 통해 어떤 존재로 나타나는지를 보여 주는 것이다.

작가들과 문학제도들이 복종하는——작품들 속에 승화되어 있는——논리를 기술하면서, 피에르 부르디외는 '작품들의 과학'의 기초들을 제시한다. 이 과학의 대상은 작품 그 자체의 생산뿐만 아니라, 작품의 가치 생산이 될 것이다. 원래의 환경에 연결되어 있는 사회적 결정들의 효과 아래에서 창조를 제거하기보다는, 장의 결정된 상태 속에 기입되어 있는 가능성의 공간을 분석해 보면, 예술가가 수행해야 하는 작업을 이해할 수 있다. 다시 말해 예술가는 이러한 결정에 반대함으로써, 그리고 그 결정 덕분에 창조자로서, 즉 자기 자신의 창조의 주체로서 자신을 생산하기 위한 작업을 수행해야 한다.

롤랑 바르트 전집 12

텍스트의 즐거움

롤랑 바르트 / 김희영 옮김

신화・기호・텍스트・소설적인 것의 '현기증나는 이동작업'을 통하여, 프랑스와 세계에 가장 활력적인 사유체계의 개척자로 손꼽히는 롤랑 바르트는, 그의 사후 15년이 지난 오늘날까지도 프랑스 문단의 표징으로, 또는 소설 속의 인물로 여전히 우리들 가운데 자리하고 있다. 그의 모든 모색과 좌절, 혹은 기쁨은 다만 그 자신에게 국한된 것만은 아닌 오늘날의 모든 전위적 사유가들에게도 공통된 것으로, 이런 맥락에서 볼 때 그의 문학 편력에 대한 조망은 특권적인 자리를 차지한다.

이 책 속에 옮겨진 글들은 바르트의 후기 사상을 정확하게 담고 있는 것들이다. 그의 후기 작업은 '저자의 죽음'을 그 시작으로 하기 때문에, 그것을 이 책의 첫번째로 하였다. 그리고 '작품에서 텍스트로,' 그 다음에는 그의 후기 작업의 이론적인 틀을 제시하고 있는 《텍스트의 즐거움》과 《강의》가 실려 있다. 이 두 권의 책은 이미 말한 바와 같이, 그의 후기 문학 실천의 이론적 배경을 이루고 있으며, 또한 그가 생전에 출판하기를 허락한 유일한 일기인 〈심의〉도 여기에 실려 있는데, 우리는 이를 통해 그의 말년의 문학적 관심사가 무엇이었나를 소상하게 알 수 있다.

이외에도 이 책에는 편역자인 김희영 교수가 바르트의 사유체계를 비교적 잘 이해하는 데 필요하다고 생각한 3편의 주요한 대담을 싣고 있다. 그 첫번째는 히스와의 대담으로 그의 기호학적인 입장, 문학기호학이 문학사회학으로 어떻게 새롭게 주조될 수 있는지를 비교적 소상하게 밝혀 주고 있다. 두번째 대담인 브로시에와의 대담은 바르트 글의 난해성이 대부분 그의 용어 사용에 있으며, 이런 용어에 대한 정확한 이해 없이는 그의 사유체계를 파악하기 힘들다는 점에서, 바르트의 후기 작업에 나타난 용어들을 저자 자신의 설명을 통해 이해하는 것을 목표로 하고 있다.

東文選 現代新書 4

문학이론

조너선 컬러

이은경 · 임옥희 옮김

문학이론에 관한 많은 입문서들이 일련의 비평 '학파'를 기술한다. 이론은 각각의 이론적인 입장과 실천으로 인해 일련의 상호 경쟁하는 '접근방법'으로 다루어진다. 하지만 입문서에서 밝힌 이론적인 운동——구조주의, 해체론, 페미니즘, 정신분석학, 마르크스주의, 신역사주의——은 많은 공통점을 가지고 있다. 이런 공통점 때문에 사람들은 단지 특수한 이론들에 관해서가 아니라 '이론'에 관해 논의할 수 있게 된다. 이론을 소개하려면, 이론적인 학파를 죽 개괄하기보다는 문제의식을 같이하는 질문과 주장, 하나의 '학파'를 다른 학파와 대비시키지 않는 중요한 논쟁, 이론적인 운동 내에서의 현저한 차이를 논의하는 것이 훨씬 낫다. 현대 이론을 일련의 경쟁하는 접근방법이나 해석방식으로 다루는 것은 이론이 갖는 많은 관심사와 힘을 놓치는 것이다. 이론의 관심사와 힘은 상식에 대한 폭넓은 도전으로부터, 그리고 의미의 생산과 인간 주체의 창조에 관한 탐구로부터 기인한다. 본서는 일련의 주제를 택하여, 이들 주제에 관한 중요한 문제와 논쟁에 초점을 맞추고, 또한 필자가 생각하기에 여태껏 연구되어 왔던 것에 초점을 맞추도록 했다. 그리고 부록으로 주요 비평학파나 이론적인 운동을 간략하게 개괄해 놓았다.

東文選 現代新書 33

연극의 이해

— 극작품, 연출, 연극사

알랭 쿠프리

장혜영 옮김

연극이란 바라보는 관점이다. 세상의 역사와 삶과 인간 안에 존재하는 모든 것들, 이 모든 것들은 예술이라는 요술 막대 아래에서 생각될 수 있는 것이고, 생각되어져야 한다…… 이러한 종류의 한 작품을 위해서 작가가 선택해야 하는 것은 아름다움이 아니고 특징이다.

연극을 공부한다는 것은, 문학작품인 동시에 공연의 재료가 되는 극 텍스트의 기본적인 위상에 대해 알아보는 것이다. 고전 극작품들과 현대 작품들에서 빌려온 여러 예들을 통해, 이 책은 하나의 극작품을 해석하기 위해 접근할 수 있는 방법들을 보여 주고 있다. 즉 언어 사용의 특징, 극작법, 연출 등의 요소들을 살펴보고 있다. 또한 희극·비극·드라마 등을 포함한 여러 다양한 미학적 이론들에 대해 역사적으로 살피고 있다.

본서는 대학 초년생들을 위해 기획된 것으로, 일반적인 지식과 참고할 만한 작품 목록들·방법론들을 간략하게 제시해 주고 있다.

저자 알랭 쿠프리는 현재 파리12대학교수로 연극사를 가르치고 있다.

롤랑 바르트 전집 3

현대의 신화

이화여대 기호학 연구소 【옮김】

이 책에서 바르트가 분석하고자 한 것은, 부르주아사회가 자연스럽게 생각하고 자명한 것으로 생각해 버려서 마치 신화처럼 되어 버린 현상들이다. 그것은 1950년대 중반부터 60년대 초까지 프랑스 사회에서 일어나고 있는 현상이지만, 이미 과거의 것이 되어 버린 것이 아니라 오늘날에도 유효한 것이기 때문에 독자들의 많은 관심을 불러일으키고 있다. 저자가 이책에서 보이고 있는 예리한 관찰과 분석, 그리고 거기에 대한 명석한 해석은 독자에게 감탄과 감동을 체험하게 하고 사물을 보는 새로운 눈을 뜨게 한다. 특히 후기 산업사회에 들어와서 반성 없이 이루어지고 있는 것, 가벼운 재미로만 이루어지면서도 대중을 지배하는 모든 것에 대해서 이 책은, 그것들이 그렇게 자연스런 것이 아니라는 것, 자명한 것이 아니라는 것을 알게 한다. 사회의 모든 현상이 숨은 의미를 감추고 있는 기호들이라고 생각하는 이 책은, 우리가 그 기호들의 의미 현상을 알고 있는 한 그 기호들을 그처럼 편안하게 소비하고 있을 수 없다는 것을 우리에게 알게 한다.

이 책은 바르트 기호학이 완성되기 전에 씌어진 저작이기 때문에 엄밀한 의미에서 바르트 기호학을 대표하는 것은 아니지만, 그러나 그의 타고난 기호학적 감각과 현란한 문체로 이루어져 있어서 그의 기호학이론에 완전히 부합되고 있을 뿐만 아니라, 그의 텍스트 실천이론에도 상당히 관련되어 있어서 바르트 자신의 대표적 저작이라 할 수 있다.

東文選 現代新書 17

일본 영화사

막스 테시아

최은미 옮김

일본 영화의 개방과 더불어 일본 영화 관련 서적의 출간이 부쩍 늘어난 이 시점에서 프랑스의 영화 전문가가 쓴《일본영화사》는, 일본이 메이지 시대에 들여온 영화 기술을 자신들의 전통 문화와 접목시켜 세계 영화 대국의 하나로 발돋움하게 된 과정에 대한 서양인의 설명을 읽어볼 수 있다는 데 그 의미가 있을 것이다.

'예나 지금이나 변함없이 서양을 매료시키고' 있는 일본 영화의 힘은 무엇인가? 그것은 일본의 대표적 감독 구로사와 아키라가 극명하게 보여 주듯이 영화적 형식과 소재에 있어 가장 일본적인 것을 세계적인, 적어도 서구적인 보편성으로 전환시킨 데 있을 것이다. 다시 말하여 일본 영화는 충분히 이국적이면서도 여전히 서구의 이해의 틀 안에 맞추어질 수 있는 것이었다. 즉 서구의 언어로 풀어낼 수가 있는 것이었다. 일본적이면서도 서구적인 것——바로 이러한 이중적 정체성에 서양인들의 일본에 대한 끊임없는 매료는 기초한다. 일본은 메이지 시대 이래 계속해서 서구와 같아지려고 노력했고, 스스로 앞장서 서구화되었으면서도 서구의 식민 지배를 피할 수 있었기에 오히려 동양적 전통을 가장 강하게 유지할 수 있었다. 이는 강압적으로 외부의 힘에 의해 변화를 강요당했던 아시아의 다른 나라들과는 달리 자신들의 취사 선택에 따라 서구 문명을 받아들였기에 가능했을 것이다. 그리하여 세계 최첨단의 기술을 자랑하는 하이테크 일본은 사고에 있어서는 가장 전통적 성향이 강한 나라로 남아 있다. 그래서 일본은 항상 서양인들에게 이해하기 어려운 듯하면서도 가장 명확한 분석이 가능한 신비롭고도 흥미로운 나라로 받아들여지고 있는 것이다.

東文選 文藝新書 147

모더니티 입문

모더니티 입문
앙리 르페브르
이종민 옮김

東文選

앙리 르페브르

이종민 옮김

우리들 각자는 흔히 예술이나 현대적 사상, 현대적 기술, 현대적 사랑 등등에 대해 언급한다. 관습과 오류에도 불구하고 모더니티라는 낱말은 자신의 위력을 상실하지 않았다. 그것은 광고와 선전, 그리고 새롭거나 새로운 것처럼 보이는 모든 표현으로 사용된다. 하지만 그것은 정확히 무엇을 의미하는 것일까?

모호하지만 모더니티라는 이 낱말은 분석에 있어 두 가지 의미를 드러내고, 두 개의 현실을 은폐한다. 한편으로 그것은 다소 인위적이고 양식에 순응하는 어떤 열광을 지칭하며, 또 한편으로는 상당수의 문제와 가능성(혹은 불가능성)을 보여 준다. 첫번째 의미는 '모더니즘'으로 명명될 수 있고, 두번째는 '모더니티'로 이름붙일 수 있다. '모더니즘'은 사회학적인 현상이다. 즉 나름대로의 법칙을 가질 수 있는 사회적인 의식의 행위인 것이다. '모더니티'는 나타나기 시작하는 비평과 명확히 규정할 수 있는 문제성에 결부된 개념이다.

이 책이 포함하고 있는 12개의 전주곡은 '모더니즘'과 '모더니티' 사이의 변증법적 관계를 파악하기 위하여 그 두 단어를 구별하고자 노력한다. 그 전주곡들은 '모더니티'가 제기하거나, 혹은 오히려 '모더니티'가 덮고 있는 제문제를 정형화하면서 그 개념의 윤곽을 명확히 하고자 한다. 여기에는 소위 현대적인 우리의 사회에 설정된 것처럼 보이는, 실제와 사고에 대한 근본적인 이의를 반드시 동반하기 마련이다.

東文選 現代新書 15

일반미학

로제 카이유와

이경자 옮김

'미'란 인간이 느끼고 내리는 평가라 할지라도, 자연의 구조는 상상 가능한 모든 미의 출발점이며 최종적인 참조 목록이다. 하지만 인간이 바로 자연의 일부분이기 때문에 그 범위가 쉽게 제한되며, 인간이 미에 대해 느끼는 감정은 생명체라는 인간의 조건과 우주의 일부분에 지나지 않는다는 생각을 하게 할 뿐이다. 그 결과 자연이 예술의 모델이 되는 것이 아니라, 오히려 예술은 자연의 특수한 경우에 해당한다. 즉 예술이란 미학이 인간의 의도나 제작행위라는 부차적인 검열과정을 거치게 될 때 생기는 자연의 특수한 경우이다. 아주 단순해 보이는 이 사실은 매우 중요한 의미를 지니고 있다.

시학으로부터 광물학, 미학으로부터 동물학, 신학으로부터 민속학에 이르기까지 폭넓은 주제에 관한 많은 저서를 남긴 로제 카이유와는, 이 책에서 '형태'·'미'·'예술'이라는 광범위한 주제에서부터 한정된 주제로 점점 좁혀가며 미적 탐구를 진행해 나가고 있다. 형성 기원이 무엇이건간에 아름답다고 평가받는 형태들에 대한 연구인 미학의 영역과, 미학의 일부분에 지나지 않는 예술의 영역을 확연하게 구분하고 있는 그는 자연의 제형태에 관한 연구, 즉 풍경대리석과 마노 또는 귀갑석의 무늬 등에 대한 연구와 현대 예술가들의 다양한 창작 태도에 대한 관점을 간결하고도 명확하게 설명하고 있다.